COLLECTION FOLIO

Fabrice Caro

# Figurec

Gallimard

Fabrice Caro est né en 1973. Il a écrit et dessiné une trentaine de bandes dessinées, dont le fameux *Zaï Zaï Zaï Zaï*. Il est aussi l'auteur de deux romans parus aux Éditions Gallimard, *Figurec* (2006) et *Le discours* (2018).

*à Iris et Sarah*

[RÉALITÉ]

# 1

## *Acte I*, scène 1

*Épitaphine et Jean-Certain sont dans le salon.*

*Jean-Certain* : Tu ne peux pas savoir comme cette visite me fait plaisir !
*Épitaphine* : Mmmh... À mon avis ce brusque changement cache quelque chose...

## 2

L'enterrement de Pierre Giroud m'a énormément déçu, c'était une cérémonie sans réelle
émotion. D'accord il y avait du monde, bien
plus qu'à celui d'Antoine Mendez, mais tout cela
manquait de rythme, de conviction. Même la fille
de Pierre Giroud – du moins celle que je sup-
posais être la fille de Pierre Giroud – n'était pas
très en verve. Elle hésitait en permanence entre
une pudique retenue et des sanglots bruyants
de qualité très médiocre. Le résultat était assez
caricatural, sans nuances. La mère de Pauline
Verdier, ça oui, ça c'était une vraie femme éplo-
rée, toujours sur le fil, très présente, improvisant
des envolées lyriques qui vous arrachaient des
larmes, rien à voir avec la fille Giroud. Il faut
souligner pour la défense de celle-ci que son père
avait quatre-vingt-huit ans et que tout le monde
dans son entourage attendait l'issue fatale d'un
jour à l'autre – à la différence de Pauline Verdier
qui s'est encastrée dans un platane en rentrant
de discothèque. Mais ça n'excuse pas tout.

Le père Rouquet lui-même n'était pas dans son meilleur jour, je l'ai trouvé bien en dessous de ses capacités. Il a accroché à deux ou trois reprises pendant l'oraison sur des passages qui ne posaient pas de difficulté particulière. Son élocution semblait sclérosée, c'est dommage, il n'a pas su profiter de l'auditoire venu en masse. Mais je crois savoir qu'il avait eu la veille un bataillon de baptêmes. Difficile de préparer quelque chose de qualité dans ces conditions. Non, vraiment, cet enterrement ne me marquera pas, on est bien loin d'Antoine Mendez. Ah, l'enterrement d'Antoine Mendez ! Sa femme essayant de sauter dans le caveau pour le rejoindre dans l'éternité, ses cris hystériques, ses trois fils la retenant dans des spasmes maîtrisés de grands garçons face à la mort, le discours de son meilleur ami admirablement ciselé, pas du tout mortuaire, certaines anecdotes parvenant même à susciter des petits rires humides et pensifs dans l'assistance. Je souhaite sincèrement que cet ami ait droit à pareil éloge quand son tour viendra. Antoine Mendez, voilà quelqu'un qui a réussi son enterrement. Il y a des gens comme ça qui savent partir.

## 3

— *Johnny Johnny* avec une dédicace de la main de Jeanne Mas. *Pour Aurélie, affectueusement.*

Julien me tend la pochette avec fierté. Il me tendrait sa photo à la une d'un hebdomadaire avec la même expression, ce sourire adolescent un peu stupide.

— Alors ?

Je considère le disque sous toutes ses coutures quelques secondes avant de le lui rendre.

— Pas mal.

— Vide-greniers. Une ado, probablement l'Aurélie en question, me l'a lâché pour un euro. Son copain en voulait trois euros mais je l'ai jouée fine...

— Trois euros pour un 45 tours de Jeanne Mas ?

— Ouais, le gars m'a vu venir, il a vite compris qu'un trentenaire qui cherche ce style de trucs, c'est soit un timbré soit un collectionneur. Et puis, il y a la dédicace...

— Si tu es sûr que ce n'est pas l'Aurélie en question qui se l'est auto-dédicacé...

Il me lance son regard mi-inquiet mi-sceptique, comme la fois où j'ai douté de sa cassette pirate d'un concert de Madonna à Issy-les-Moulineaux. Me complaisant dans une espèce de sadisme, je fronce les sourcils, jouant l'incrédule. Il finit son verre et reprend confiance.

— Tu imagines une fillette de dix ans se dédicacer un disque ? C'est absurde...

Je ne réponds rien bien que je n'aie aucun mal à imaginer une fillette de dix ans en train de se dédicacer un disque.

Claire arrive avec le lapin à la moutarde et le pose sur la table. Pourquoi ne dit-on pas du lapin mort à la moutarde ? Ma conception du lapin est celle d'un animal à fourrure qui creuse des terriers et court pour éviter les chasseurs. Ce qui est devant moi n'est pas un lapin. Pourquoi ne dit-on pas poulet mort basquaise, moules mortes marinière, civet de sanglier mort ? Parce qu'on évite autant que possible tout ce qui pourrait nous rappeler notre propre finitude.

Claire me sert un morceau de râble, on peut avoir une conscience aiguë de la mort et adorer le lapin mort à la moutarde, ça n'est pas incompatible. En revanche on peut difficilement se permettre d'être et parasite et végétarien. Quand on mange plusieurs fois par semaine chez des amis, on évite de leur parler de leur mort à chaque plat.

À la fin du repas, nous buvons une liqueur

de fruits de mer en fumant des cigarettes, de ces rituels douillets qui rassurent ou dépriment, suivant les jours, suivant l'état. Là ça va, je suis bien.

— Et ta pièce, ça...

# 4

… fait environ un an que j'ai rencontré Julien pour la première fois dans un vide-greniers. Dire de quelqu'un que l'on connaît depuis un an à peine qu'il est votre meilleur ami peut paraître complètement artificiel. C'est pourtant le cas. Je vendais alors quelques affaires dénichées dans le grenier de mes parents pour me faire un peu d'argent et Julien s'était mis à l'arrêt devant le *Square Room* d'Al Corley qui se trouvait dans mes cartons et que je n'avais jamais remarqué. Nous avons immédiatement sympathisé sans trop savoir pourquoi. Le soir même, il me présentait Claire et j'inaugurais la longue série de repas que j'allais prendre chez eux. Dès l'instant où je leur ai dit que j'écrivais des pièces de théâtre, s'est instaurée entre nous une relation très particulière, une espèce de protectorat tacite. Il y a les artistes et ceux qui auraient aimé être artistes, c'est généralement dans cette catégorie qu'on trouve les mécènes – et puis il y a ceux qui n'en ont rien à foutre, pour qui les artistes sont soit des fainéants, soit des homosexuels, soit les deux. Claire et Julien ne se sont pas, à proprement parler, imposés comme des mécènes (il n'a jamais été question d'argent entre nous), disons plutôt qu'ils étaient dans une période de romantisme humanitaire. Être les amis d'un artiste fauché (ou artiste maudit) constituait exactement l'occupation de gauche bourgeoise qu'ils recherchaient à l'époque pour rompre la monotonie de leur quotidien. S'est donc naturellement organisé un rythme très régulier de cinq repas par semaine pendant lesquels nos liens se sont affermis jusqu'à devenir ceux de, par exemple, vieux amis d'enfance.

Si j'aime employer le mot *parasite*, c'est seulement par pure coquetterie – probablement d'ordre romantique moi aussi : parler d'échanges de services serait plus juste. Ils m'offraient cinq repas par semaine et cinq fois par semaine je les empêchais de se retrouver seuls tous les deux, face à cette vie dont ni l'un ni l'autre n'avait rêvé. Chacun trouve sa pauvre solution face au désert qui...

# 5

— … avance ?

— Petit à petit… Il me faut encore affiner pas mal de choses mais ça commence à prendre forme…

— Tu ne veux toujours rien dévoiler du contenu, cachottier ?

Je mime la bouche cousue, il éclate d'un rire bonhomme en s'exclamant *ah ces artistes !* Et je me dis à ce moment précis et sans raison particulière, que Julien est finalement bien seul. Claire propose de lire nos horoscopes respectifs. Nous la supplions très second degré alors qu'au fond nous en avons réellement envie, le moindre leurre nous étant indispensable.

Claire travaille à la Caisse d'allocations familiales et Julien à la DDE, je ne sais pas ce qu'ils y font, je ne leur demande rien, ils ne m'en parlent pas. Je crois qu'on a compris que c'est un sujet qui emmerde tout le monde. On préfère souvent se taire que parler de ça. Ce ne sont jamais des silences pesants. Certains diront que c'est une preuve d'amitié réelle, ce qui est une connerie. Nous sommes de vrais amis, nos silences ne sont pas pesants, mais il n'y a là aucun lien de cause à effet.

# 6

Je me méfiais des enterrements de Constant. J'avais, par le passé, assisté à trop de cérémonies de Constant complètement ratées, artificielles, sans consistance (Gérard Constant, Delphine Constant et, probablement le pire de tous, Amédée Constant). Dans mon esprit c'était clair : les Constant ont beaucoup de mal à bien mourir.

Aussi, quand j'ai découvert dans la rubrique nécrologique que l'enterrement le plus proche était celui d'un certain Jean-Marie Constant, ma première réaction a été catégorique. Je préférais faire quelques dizaines de kilomètres de plus et assister à une cérémonie de qualité (pour un Barrault par exemple, les Barrault sont très réguliers, pas exceptionnels mais jamais décevants). Finalement, cédant à un accès d'indulgence – et peut-être aussi de paresse – je décidai de m'y rendre, non sans un a priori hautement défavorable. Au moins si celui-ci était un fiasco, je pourrais l'ériger en démonstration scientifique et irréversible : les Constant meurent mal.

La surprise fut d'autant plus grande quand le beau-frère de Jean-Marie Constant se mit à fustiger le défunt dans son discours à propos d'une sombre et sordide histoire d'héritage et de terrains inondables. Deux grands gaillards (les fils Constant ?) durent intervenir pour le faire taire et l'éloigner du groupe venu louer la mémoire de Jean-Marie Constant et non la souiller. L'atmosphère après cet intermède devint réellement magique. La tristesse paraissait décuplée, le volume des pleurs nettement amplifié. Chacun dans son silence semblait se remémorer une anecdote touchante, probablement fausse, certainement enjolivée par le chagrin.

C'est sous cette chape d'émotion qu'un type de l'autre côté du groupe me fit un clin d'œil en levant discrètement son pouce, le tout avec un anachronique sourire idiot, un bonhomme rond, court sur pattes, à l'air jovial.

D'où connaissais-je ce type ? Impossible à dire et pourtant j'étais persuadé de l'avoir déjà croisé.

# 7

— Et ta pièce, ça avance ?

— Petit à petit... Il me faut encore affiner pas mal de choses mais ça commence à prendre forme...

Ma mère me sert une cuisse de poulet mort, une pour moi, une pour mon frère. Mon frère a toujours dit que le taux de suicide serait en nette diminution le jour où la génétique permettra de produire des poulets PAC à trois cuisses, que le premier grand traumatisme est celui du troisième enfant à qui échoit l'aile ou le blanc, généralement l'aîné. Nous n'avons pas ce problème, nous ne sommes que deux. Nous avons statistiquement moins de chances, mon frère et moi, de nous suicider. En tout cas pas à cause du *traumatisme du blanc de poulet mort*.

— Tu sais, le théâtre c'est...

... *bien beau mais c'est pas avec ça que tu vas ramener un salaire régulier, tu sais dans ce genre de métiers il y a beaucoup de candidats et peu d'élus,*

*combien sont partis avec beaucoup d'espoirs et ne*
*sont...*

— ... jamais arrivés à rien ?

Mon frère pouffe dans sa cuisse, ces moments de radotage nous replongent dans une enfance insouciante (alors que cette tirade est normalement censée me raisonner, voire me faire peur). Vient ensuite le chapitre de la comparaison.

— Si tu avais continué tes études, tu aurais pu avoir un travail et écrire tes pièces pendant ton temps libre. Regarde Théo, il a...

# 8

... toujours réussi le moindre de ses examens avec une facilité déconcertante. Il a traversé sa scolarité comme on passe le pas d'une porte. À l'âge de quatre ans, dès qu'il sut parfaitement lire et écrire, mes parents comprirent que la suite ne serait qu'une formalité. Ils purent dès lors concentrer l'essentiel de leurs inquiétudes sur l'autre : moi.

Je suis l'aîné d'un an, l'accident c'est lui. (Tout le monde sait ça : quand deux enfants ont un écart d'un an ou moins, c'est un accident.) Il était donc parfaitement légitime qu'il fût mieux doté que moi, pour compenser une éventuelle culpabilité qui aurait pu le tarauder à la moindre baisse de forme.

Il faudrait être d'une mauvaise foi excessive pour trouver une chose qui cloche chez mon frère. Outre ses facilités intellectuelles, il a glissé son sexe (démesuré, soit dit en passant) dans des créatures auxquelles je n'ai même pas accès en fantasmes. Dire de nous deux que la répartition génétique a été inique est un euphémisme ultra-light.

Mon frère par rapport à moi, en photo, on appelle ça un négatif.

Ceci dit, j'ai du mal à lui en vouloir, c'est probablement la seule personne avec qui j'ai une relation dégagée de tout artifice, un lien très sain, très pur, un meilleur ami à domicile même si nous ne nous croisons que quelques heures par semaine chez mes parents. Il vit une relation stable depuis trois ans avec Anna, une fille aussi discrète que lumineuse. Ce qui, évidemment, soulève le deuxième grand chapitre de la sempiternelle comparaison avec mon frère : mon célibat inquiétant. Mes parents désespèrent de me voir un jour avec un lave-vaisselle et un crédit immobilier.

Les questions ne relevant pas d'un bulletin de salaire ou d'un utérus de ménagère ne seront jamais pour eux que...

# 9

— … des loisirs, mais cela ne l'empêche pas de travailler à ses études. Il faut savoir faire des choix dans la vie.

Mon père, comme à son habitude, ne dit rien. Il se contente de suçoter le croupion du poulet mort en jouant à la perfection son rôle de père : apparente indifférence, insouciance complice, angoisse muette.

Mon frère me vient en aide en critiquant les haricots verts surgelés. Il tente de détourner la polémique, les ficelles sont grosses mais le cœur y est. Ma mère change de sujet, du moins en apparence.

— Tu vois Anna cet après-midi ?

Mon frère hoche la tête sans décoller les dents de sa cuisse.

*Tu vois Anna cet après-midi ?* Dialogue par personne interposée, autre façon de me dire à moi : *Toi, tu ne vois personne cet après-midi.*

# 10

## *Acte I*, scène 1

*Épitaphine et Jean-Certain sont dans la cuisine.*

*Jean-Certain* : Cette visite ne me dit rien qui vaille...

*Épitaphine* : Allons Jean-Certain, ça n'est probablement qu'une visite de routine.

# 11

Le mari ne manque pas de panache, c'est le moins qu'on puisse dire. Alors que le curé nous fait successivement asseoir et lever au rythme des prières, le mari, lui, reste debout, impassible, les yeux rivés sur le cercueil de sa femme posé devant l'autel. Il se dégage de cette cérémonie quelque chose de très digne. Ça partait pourtant assez mal : au début, la famille de la défunte ne parvenait pas à calmer un groupe de trois ou quatre enfants qui couraient à travers les allées de l'église en riant et en hurlant des noms de chanteuses américaines, probablement de vagues cousins n'ayant de la mort qu'une conscience très approximative. Finalement, une sorte d'oncle (probablement un peu anticlérical) s'est proposé pour aller les faire jouer dehors.

C'est pendant le Pater noster (trop mou à mon goût) que je l'aperçois, à trois rangées devant moi. Le bonhomme rougeaud de la dernière fois. Il se retourne en souriant et me fait un petit coucou avec ses doigts bouffis. Outre la honte qui me submerge (son geste a été me semble-t-il repéré par des proches de la défunte), la présence obsessionnelle de ce type commence à m'apparaître sous un jour inquiétant.

Alors que tout le monde se lève pour aller prendre le corps du Christ, nous nous croisons accidentellement. Il me glisse un mot à voix basse, sans se départir de ce sourire complètement déplacé.

— Figurec ?

Je pars aussitôt après la cérémonie de l'église, tant pis pour le cimetière, je n'ai aucune envie de revoir ce psychopathe.

## 12

— Je crois que je suis victime d'un harcèlement...

— En voilà une bonne nouvelle, à ton âge, il était temps !

— Je ne plaisante pas... C'est un type très bizarre que je rencontre tout le temps aux... à la boulangerie et partout où je vais. Il me dévisage avec une expression terrifiante... Aujourd'hui il a essayé de me parler mais je n'ai pas compris ce qu'il a dit...

Claire et Julien ne semblent pas me prendre au sérieux, ils hésitent entre un soutien forcé et une dérision qui les soulagerait. Julien finit par trancher.

— Tu devrais vérifier si la CIA ne t'a pas mis sur écoute, tu sais que tu es une grande menace pour eux...

Ils éclatent de rire, me laissant seul dans ce qu'ils croient être une crise aiguë de paranoïa. Quelque part, leur légèreté parvient à me rassurer même s'ils ne détiennent pas tous les paramètres pour juger objectivement de la situation : peut-être riraient-ils moins si je précisais que nous nous croisons dans des enterrements. Je décide d'en finir avec cette histoire pour ce soir et rentre dans leur jeu.

— Vous rirez moins le jour où je me ferai assassiner par un groupuscule de terroristes albanais...

Après le repas, Julien tient à me montrer sa dernière acquisition, *Boule de flipper* de Corynne Charby.

— Je croyais que tu l'avais déjà celui-là...

— Oui, mais regarde l'état de la pochette, pas une éraflure, comme neuve, un vrai trésor, son propriétaire n'a pas dû l'écouter souvent.

— On ne peut pas lui en vouloir.

Entre deux gorgées de liqueur de fruits de mer, je repense au gros bonhomme. Son visage m'obsède et j'ai du mal à me concentrer sur la discussion qui, de toute façon, n'est pas d'un intérêt flagrant.

# 13

— Je sais pas… C'est bizarre…

Nous nous revoyons, Julien et moi, le lendemain entre midi et deux, ça nous arrive assez régulièrement, quand Julien n'a pas particulièrement envie de manger avec ses collègues. Nous nous retrouvons dans une brasserie chaleureuse située non loin de son lieu de travail. C'est lui qui offre, je tiens quand même à sortir mon portefeuille à chaque fin de repas, on peut être parasite et civilisé.

La plupart du temps, il profite de ces repas en tête à tête pour faire le point sur sa liaison avec Claire, pas spécialement pour m'informer, plutôt comme un bilan régulier qu'il s'adresserait à voix haute – mais face à quelqu'un afin de ne pas passer pour un détraqué.

Aujourd'hui il y a du nouveau, il est convaincu que Claire le trompe. Je suis estomaqué, j'avais déjà remarqué que leur stade passionnel n'était plus qu'une photo cornée étouffée sous une pile d'albums sans toutefois me douter qu'ils pourraient en être au stade suivant.

— Rien de précis, juste une intuition... elle a des absences... comment dire... vraiment absentes. Avant ses absences voletaient dans une stratosphère qui nous était commune, maintenant je la sens en orbite anarchique, soumise à l'attraction d'un autre astre...

Par pudeur – du moins je l'interprète ainsi – Julien a toujours affectionné les métaphores un peu lourdes pour décrire sa situation avec Claire. D'habitude ça tournait plutôt autour de tunnels, d'autoroutes, de chemins de terre, de ponts, de routes en travaux, d'impasses ou de raccourcis. Son changement de champ lexical témoigne de son chaos intérieur.

— Elle traverse peut-être une période difficile dans son travail.

— Mmmh... Je ne pense pas... Ses absences ne sont pas des absences administratives, celles-là je les reconnais à des kilomètres... Non non, plutôt des absences d'un ordre plus abstrait... Plus...

Il hésite comme s'il avait peur du mot puis finit par le lâcher :

— ... Romantique.

Il termine le fond de son verre, je devrais le rassurer, je ne dis rien, j'ai trop peur qu'il devine dans ma voix que je suis persuadé que Claire le trompe. C'est donc mon silence qui le lui signifie.

# 14

Un vertige me saisit lorsque je le vois. Ici, dans ce bled perdu, pour une banale bigote de quatre-vingt-sept ans, une comme il en tombe toutes les minutes, une Martial de surcroît – quand on sait avec quelle morne platitude s'enterrent les Martial.

En retard pour la messe, la cérémonie se trouvant à quarante kilomètres de chez moi, j'ai rejoint le cortège in extremis à l'entrée du cimetière. Pourquoi parcourir quarante kilomètres pour une Martial morte le plus normalement du monde, en bout de course, dans son sommeil ? Hasard du calendrier, période de vaches maigres, période où les gens s'accrochent pour arriver jusqu'à Noël. Et puis la recrudescence des incinérations, foutues incinérations.

Je ne pensais vraiment pas le trouver ici, d'autant qu'il n'était ni au Pages avant-hier (très moyen pour un Pages), ni hier au Bevilacqua (c'était mon premier Bevilacqua, à retenir). Il est de l'autre côté du groupe et me repère immédiatement. Il m'adresse un clin d'œil complice, manifestement très heureux de me voir. Alors que nous nous acheminons vers la sépulture, dans un silence à peine ponctué de reniflements dans des mouchoirs et de crissements de gravier, il cherche à s'approcher, ralentissant sensiblement sa marche pour que je le rattrape. Il n'est plus qu'à quelques mètres de moi quand nous nous disposons de façon un peu désordonnée autour du tombeau ouvert, il en profite pour venir se placer à mes côtés.

Je suis terrorisé, de près il paraît encore plus gros, plus rouge, plus moite et il empeste l'alcool. Il se fend d'un *ça va ?* des plus naturels. Je ne réponds rien, je songe un instant à m'enfuir mais j'ai bien trop peur qu'il me suive, ici au moins il ne peut rien m'arriver.

Alors que le curé entame son oraison, il se penche légèrement vers moi.

— J'aime pas trop celui-là, il bouffe la moitié des mots... Si tu fermes les yeux, tu te demandes si t'es à un enterrement ou à un baptême tellement t'y comprends rien...

Je reste concentré sur le prêtre, essayant de faire abstraction de ce chuchotement qui me semble hurlé.

— C'est vrai qu'on se fait chier aux enterrements mais on n'est pas les plus mal lotis... À une époque j'ai fait les concerts de musique de chambre, je peux te dire que c'est autre chose... Maintenant ils y mettent plus que ceux qui font trop de conneries, heureusement parce que j'étais au bord de la dépression... Ça fait combien de temps que tu fais l'enterrement toi ?

Ce type est un cinglé. Je fais le serment à ce moment précis que cette cérémonie est ma dernière.

— Allez, ça va, tu peux parler, y'a pas de contrôleurs ici, on est peinards, Grand Secret mon cul !

Les derniers mots résonnent plus qu'il ne l'aurait souhaité, nous sommes transpercés de part en part de regards haineux, lourds de reproches. Le prêtre lui-même s'arrête au milieu de sa phrase. Je donnerais à peu près n'importe quoi pour être dans la boîte à côté de la vieille Martial. Le bonhomme ne se démonte pas, il affecte une mine de chien battu et essuie des larmes fictives.

— Je suis désolé... C'est si dur...

L'assistance finit par se désintéresser de l'incident et l'oraison reprend. Le bonhomme réitère son clin d'œil jovial, monstrueux de décontraction.

Il se tient plutôt tranquille jusqu'à la fin de la cérémonie, se contentant de légers soupirs d'ennui. Quand le groupe se disperse, il reste avec moi comme si c'était une évidence. Il presse le pas quand je presse le pas, ralentit quand je ralentis, m'attend pendant que je dénoue et noue mon lacet.

— Où est-ce que tu préfères boire un coup ? Moi, j'aime bien le troquet qui est sur l'avenue...

— Écoutez monsieur, j'ignore qui vous êtes et

si vous ne me laissez pas tranquille je me verrai dans l'obligation d'appeler la police...

— Ah je vois... T'es nouveau, c'est ça ? Tu flippes alors tu fais le collabo, comme tous les nouveaux... Mais moi ils m'auront pas, tu peux me balancer, tu seras pas le premier à le faire ni le dernier, on me mettra ailleurs, j'en ai rien à foutre, j'ai l'habitude d'en baver... J'ai fait les concerts de musique de chambre, j'ai fait l'expo Soulages, j'ai même fait les boîtes d'informatique, ouais monsieur, tel que tu me vois, les boîtes d'informatique, alors tu peux me balancer, j'ai trente berges de métier dans la cafetière et des gars dans ton genre j'en ai vu défiler, des qui se voyaient déjà dans les pots de ministres ou les vernissages branchés, des péteux qui ont fini comme tout le monde, enterrements, anniversaires ou mariages à la con... Alors balance-moi si tu veux mais dis-toi une chose : n'espère pas de promotion avant longtemps, crois-moi j'ai le pif pour ça, tu pues la mort, t'as la vraie tronche de l'emploi pour la mise en bière, alors te fais pas trop d'illusions, s'ils t'ont collé là, ils sont pas près de t'en déloger... Allez, petit con, tu peux retourner sucer les nichons de ta mère.

## 15

Alors que je prends habituellement beaucoup de plaisir à guigner discrètement les seins d'Anna entre deux bouchées de purée de brocolis, la contrariété m'empêche aujourd'hui de réellement m'investir dans ma tâche. L'histoire du cimetière ne cesse de me hanter. Je suis totalement absent du repas, mimant des opinions fortes, riant à intervalles réguliers, trouvant trop salés des plats que je n'ai pas encore goûtés. À un moment, je ris alors que ma mère annonce le cancer du côlon d'un ami de la famille.

La présence d'Anna à la plupart de nos repas de famille me soulage amplement. L'intérêt général se focalisant alors sur elle plutôt que sur moi, je peux me permettre d'être moins présent. On s'intéresse à sa réussite plutôt qu'à ma médiocrité, à ses études plutôt qu'à ma pièce qui avance petit à petit et qui commence à prendre forme mais dont il me faut encore affiner pas mal de choses.

En temps normal, je profite de ces absences pour prendre mentalement Anna dans des positions un peu absurdes et dans des situations toutes plus décalées les unes que les autres – au dernier repas j'en étais resté à la position de l'inspecteur de l'Éducation nationale après que nous nous fûmes rencontrés par hasard sur le site d'une usine de polystyrène désaffectée.

Mais aujourd'hui, j'ai beau m'en défendre, la mystérieuse diatribe du cinglé passe en boucle dans ma tête. Je pourrais la réciter au mot près, de *ah je vois* à *ta mère*.

Ma mère pose le dessert sur la table, un saint-honoré, et tout le monde fait *aaah*, moi aussi, même si sur le moment je ne sais pas pourquoi nous faisons *aaah*.

# 16

— Alors, ton harcèlement, c'en est où ?

— Il m'a agressé.

— Il t'a frappé ?

— Non non, verbalement.

Claire et Julien étaient partis pour me chambrer mais leur expression se fige. Ils se demandent s'ils doivent me prendre au sérieux ou pas.

— C'est-à-dire ?

— Il m'a traité de collabo parce que je voulais prévenir la police. Il m'a menacé de mort si je le faisais.

Je ne sais pas pourquoi j'ajoute cette dernière phrase. Probablement pour me rendre intéressant, pour ajouter du piment à une anecdote qui, finalement, n'est peut-être pas si importante. Ils m'observent en silence. Julien pique distraitement son cure-dents dans le bol d'olives aux anchois en essayant, me semble-t-il, de jauger dans mes yeux la part d'affabulation. Claire fait tourner son glaçon dans sa liqueur.

— Qu'est-ce que tu vas faire ?

— Je sais pas trop...

— À quoi il ressemble ce type ?

— C'est un gars assez grand avec une cicatrice sur la joue et des cheveux broussailleux, avec un imper beige et un regard de dément, genre Dewaere dans je sais plus quel film... À mon avis ce type a un casier qui pèse des tonnes...

Si je mens ce n'est pas tant pour enjoliver mon méchant (qui serait nettement moins impressionnant si je le décrivais réellement) que pour le garder pour moi tout seul. Non seulement je n'ai pas besoin de leur soutien psychologique, mais je n'ai aucune envie de partager ma mésaventure, comme quelque chose qui m'appartiendrait et que je couverais jalousement.

Pendant le repas (une omelette d'œufs non fécondés), nous n'abordons pas le sujet du possible adultère de Claire – ce qui est normal.

17

## Acte I, scène 1

*Épitaphine et Jean-Certain fument une cigarette
en jouant aux échecs.*

*Jean-Certain* : Il se fait tard, il ne viendra plus
maintenant.
*Épitaphine* : Rien n'est moins sûr, Pierraliste
est un noctambule.

# 18

Je me sens comme frappé d'un sort, ce type effrayant apparaît dans tous les enterrements où je me rends et il suffit que je cherche à le rencontrer pour en perdre aussitôt la trace.

Quatre enterrements (Paul Soriano, Frédérique Mangeaud, Chantal Ripoll et Marcel Piaget) sans le croiser. Autant de cérémonies dont je n'ai réussi à estimer à juste titre la qualité. Quand je repense à la jeune Mangeaud... Si j'avais été dans mon état normal, Frédérique Mangeaud écrasait Antoine Mendez, et de loin. Tout était réuni pour en faire un chef-d'œuvre. La maladie rare et fulgurante, ses amis venant mettre des lettres dans son cercueil en petits spasmes dignes, sa gueule d'ange en photo agrandie sur l'autel et, apogée de la cérémonie, *Puisque tu pars* de Goldman dans l'église, sa chanson favorite. L'assistance en larmes et moi en train de chercher un ivrogne du regard, quel gâchis.

Ironie du sort, j'en viens à craindre qu'il lui soit arrivé quelque chose. Je n'en dors plus. Je

passe des nuits entières à ressasser son monologue, obsessionnellement, à revivre cette scène
que les jours finissent par rendre touchante.

Cette semaine, on m'a trouvé particulièrement taciturne et irritable. Même Julien a évité
de me parler de ses angoisses de couple. Il met
mon état sur le compte de l'agression verbale
et répète qu'il faut que je règle cette histoire au
plus vite, ce en quoi, incidemment, il a tout à
fait raison.

# 19

Alors que je n'y crois plus, je l'aperçois de l'autre côté du rayon, poussant mollement un chariot débordant. Je suis submergé d'une joie incompréhensible et traverse prestement l'allée pour le rejoindre. Nous ne sommes plus qu'à deux mètres quand je devine à son expression qu'il ne partage pas mon enthousiasme. Je décide tout de même de l'aborder.

— Tiens, voilà le collabo... T'oses encore m'approcher après ce que t'as fait ?

— Écoutez, je m'excuse pour la dernière fois... Je n'aurais pas dû être autant sur la défensive... Je n'avais aucune intention de vous dénoncer à quiconque, je...

— Arrête ton char, me fais pas croire que ça t'a fait mal de me balancer, je sais que c'est toi, je devrais te casser la gueule mais en fait je m'en fous, ici ou ailleurs...

— Je ne comprends pas, je vous jure que je n'ai...

— Ah ouais ? Et pourquoi je suis là, à ton

avis ? Une promotion ? Tu parles ! Les super-marchés c'est dix heures par jour... J'étais bien peinard moi chez les macchabées avant de te rencontrer, et comme par hasard, le lendemain, boum, affectation... Tu vas me dire que c'est le hasard, hein ?

— Je ne comprends pas un traître mot de ce que vous dites... Quoi qu'il en soit si j'ai commis un impair malgré moi, j'en suis sincèrement désolé, croyez-le.

Il me scrute un moment en silence, l'œil inquisiteur, massant une barbe de trois jours imaginaire.

— T'es en train de me dire que tu bosses pas chez Figurec ?

Je hausse les épaules et les sourcils pour répondre à une question qui pourrait très bien être en japonais sans que j'y voie la moindre différence.

— Merde alors...

Il continue de me fixer, visiblement ennuyé. Je reste devant lui, un peu bêtement dans ce long silence. À côté de nous, une dame avec une couleur de cheveux bizarre hésite entre deux marques de dentifrice, on voit que ça la tracasse.

— Bon écoute, là je bosse, on a qu'à se filer rencard après mon boulot, vingt et une heures au troquet des Colonnes, et sois pas en retard, j'ai horreur des retardataires.

## 20

Vers vingt-deux heures, il pousse la porte du bar. Je lui fais un signe, un signe ridicule de rendez-vous galant. Il traverse la salle de sa démarche lourde, serrant au passage une paire de mains sans même tourner la tête, se laisse tomber sur la chaise face à moi et commande de sa voix grasse un ballon de rouge. Visage baissé, sans un mot, il tapote sur la table un rythme approximatif de ses doigts boudinés jusqu'à ce que le garçon vienne le servir. Dès que le verre est posé, il l'attrape, l'avale d'un trait, en commande un autre et se remet à tapoter sur la table. L'opération se répétera sept fois sans qu'il daigne me dire un seul mot.

Au huitième ballon, il se décide à planter son regard vitreux sur moi.

— Je te dois rien, d'accord ? Je te dois rien.

— Ben non je...

— Non, je te dois aucune explication. Je suis pas obligé d'être là. Si je suis là c'est pour moi, j'en ai marre de vivre dans le mensonge, c'est trop lourd à porter. Et vu qu'avec toi j'en ai déjà trop dit, autant finir. Mais c'est pour me soulager, je te dois rien.

Il ne me doit rien, il semble y tenir. J'acquiesce mécaniquement.

— Vas-y, déballe tes questions.

*Déballe tes questions.* J'ai rarement vu tel orgueil. Comme un patient qui se rendrait chez un médecin et qui lui demanderait une fois dans son cabinet *alors docteur, pourquoi vouliez-vous me voir ?*

— Ben... Je...

— Trente berges que je suis dans le circuit. Un vieux de la vieille. Et pourtant ils m'en ont mis des bâtons dans les roues. Ils ont jamais aimé les fortes têtes, mais je m'en fous, ils savent que je peux tout faire sauter, je leur fais peur. Même leurs sanctions c'est du bluff, parce qu'il faut bien sanctionner pour que les choses aillent pas trop de travers. Mais au fond c'est moi qui suis dans la position de dominant, ça tient tellement sur rien leur truc...

Et pourtant, deux cents ans que ça dure leur petit bizness. C'est Roquebrun, un dissident de la Grande Loge, qui a eu cette idée. Un maçon qui en avait dans le pantalon, pas un mouton comme les autres, pas un qui aurait fait les pires saloperies pour aider une crapule de frère. Parce que ça leur servait pas mal à ça, les salauds, se permettre les pires crasses tout en étant protégés par des frères bien placés. Roquebrun, lui, il était différent. Pourtant du pouvoir il en avait.

51

Mais il avait aussi une conscience et une éthique. Les autres c'est pas ce qui les étouffait l'éthique. C'était un instinctif Roquebrun, un sensible. D'ailleurs Figurec c'est parti de là, la sensibilité de Roquebrun...

C'est peut-être une légende, le style d'anecdotes qu'on raconte parce qu'il en faut bien une, parce que chaque histoire a sa légende de départ. Quoi qu'il en soit, moi je la crois l'histoire du fils de Roquebrun... C'était son anniversaire, ses sept ans je crois. Le fils Roquebrun c'était une huître, pas de copains, pas de vagues, une ombre. Comme son père au fond qui a toujours brillé par sa discrétion. Et le père ça l'attristait cet anniversaire sans amis. C'est là que l'idée lui est venue : il allait payer des amis à son fils, des merdeux figurants qui viendraient s'amuser à son anniversaire...

Depuis, l'idée a fait son chemin. Figurec aujourd'hui c'est des dizaines de milliers d'employés à travers le monde. Des figurants dans tous les domaines, partout, probablement la société secrète la plus puissante du monde où employés et commanditaires sont tous maçons ou fils de maçons. Enfin pas tout à fait maçons, plutôt roquebrunistes, c'est une autre école, la belle dissidente.

Tu veux deux, trois figurants pour un mariage, un enterrement, une entreprise, une équipe de foot, un repas entre amis ? Suffit de payer. Figurec mon gars. La seule agence de figuration de l'univers. Trente berges que j'y suis, de par mes grands-parents qui ont été roquebrunistes dès le début. J'ai tout fait, ils m'ont trimballé de gauche à droite, suivant la demande, au gré de l'odeur du fric. Eh ouais, il est loin l'esprit Roquebrun, aujourd'hui c'est fric et histoires de fric, l'esprit maçonnique s'est fait la malle y'a belle lurette. Maintenant tout en haut c'est des P-DG qui pensent profit, rentabilité et ce genre de conneries. Et quand ça a pris de l'ampleur, ils ont créé des figurants actifs. Des espèces d'acteurs qui se contentent plus de faire acte de présence mais qui jouent des rôles – inutile de te dire qu'avec ceux-là le salaire est pas le même. Et puis y'a les contrôleurs. Ça existait pas du temps de Roquebrun. Près d'un quart des employés sont payés pour contrôler la tenue des figurants. Eh ouais, la règle d'or : le Grand Secret. Les figurants ne doivent surtout pas se connaître entre eux, pour le bien de Figurec. Alors on est seuls. On est des dizaines de milliers dans notre mensonge et notre solitude. On reçoit le contrat par téléphone ou courrier et on va au turbin. C'est l'usine sans les collègues de travail. Ils m'ont déjà repéré plusieurs fois, ils aiment pas trop que je cherche à découvrir d'autres figurants. Mais moi je crois que le vrai esprit roquebruniste c'est ça. Je crois qu'il aurait aimé plus de solidarité, un truc moins froid, au détriment du secret. Alors chaque fois j'ai droit à la morale. Et puis y'a la sanction. L'an dernier ç'a été une boîte d'informatique. Le bagne mon vieux, le bagne. Des journées entières devant un écran d'ordinateur rempli de données imaginaires. Le pire, c'était la figuration autour de la machine à café plusieurs fois par jour, le bagne je te dis. Alors pour tuer le temps, j'essayais de repérer les autres figurants de la boîte. À la fin j'avais l'œil, j'avais calculé que vingt pour cent de la boîte venait de Figurec. J'ai tout fait je te dis, j'ai même fait remplaçant sur le banc de touche pour une grande équipe de foot, à l'époque où j'avais encore la ligne bien sûr. Ils m'ont viré parce que j'ai allumé une clope pendant un match un jour où je m'emmerdais trop. J'ai tout fait, les vernissages, l'expo Rothko du premier au dernier jour, les apéritifs de mariage, les salles de ciné, y'a un film de Tavernier que j'ai vu dix-sept fois, l'horreur, dans ces cas-là tu le sens vraiment que t'es sous-payé. Et puis le reste, tout le reste. Et tout ça pour finir en grande surface à pousser un chariot du matin au soir, après trente ans de bons et loyaux services, bonjour la prime d'ancienneté... Ils en ont rien à foutre eux, ce qu'ils veulent c'est que la boîte tourne. Ils sont prêts à faire n'importe quoi pour faire du blé. Tiens, les supermarchés justement : il faut que je me balade avec un chariot rempli de produits précis, toujours les mêmes grosses firmes alimentaires qui sont prêtes à claquer du pognon dans ce style de pub. Échange de bons procédés : la firme fait un gros chèque à Figurec et moi je trimballe toute la journée le même contenu entre les rayons. Homme-sandwich de société secrète, affiche de pub, le voilà mon turbin. Comme un vulgaire étudiant, après trente berges de boîte. Et là les syndicats ça existe pas. T'es seul, seul du début à la fin, le nez dans ta merde, une merde secrète, une merde que personne voit. La pire. Celle-là, elle se partage pas.

Bon allez dégage maintenant, j'ai trop parlé, j'ai soif.

[FÉALITÉ]

## 21

Depuis une semaine, j'ai énormément de mal à sodomiser Anna sur des platines de DJ au milieu d'une soirée de cadres supérieurs. Figurec Figurec Figurec, je n'ai que ça à l'esprit. Ma semaine n'aura été qu'un long crescendo du scepticisme à l'angoisse la plus primitive.

À la sortie du bar, après qu'il m'eut violemment congédié, j'étais dans un état mêlé d'incrédulité et de fascination. Pour moi ce type était le plus grand créateur de canulars de l'univers. Pourtant, en une semaine, ma position avait largement perdu en stabilité. J'avais commencé de manière très ludique par cet exercice : il suffisait que je trouve une seule aporie dans son récit pour en conclure que la totalité était inventée, avec un certain génie certes, mais inventée. Il ne me serait pas difficile de percer à jour ne serait-ce qu'une infime contradiction dans une histoire aussi énorme.

Les jours passant, je réalisai qu'il n'y avait aucune raison que Figurec n'existât pas.

C'est l'anniversaire de mon père. Nous sommes donc heureux. Mon frère et Anna lui ont offert une canne à pêche ultra-sophistiquée pour occuper sa toute récente retraite. Ma mère lui a acheté la combinaison adéquate et moi un abonnement à *Pêcheclette*, le mensuel de la pêche et de la bicyclette – abonnement que ma mère a payé étant donné ma situation financière un peu difficile en ce moment du fait de ma pièce qui avance petit à petit.

Alors que ma mère découpe le saint-honoré, chacun y va de son anecdote sur les bienfaits de la retraite. Ça va de la vision poliment sucrée d'Anna jusqu'aux vannes au cordeau de mon frère. Puis nous levons nos verres de champagne bon marché et mon père se racle la gorge pour son discours de remerciements.

— Écoutez, je suis vraiment…

(Non, aucune raison que Figurec n'existe pas. J'ai beau chercher, je ne vois pas d'incohérences flagrantes dans son récit. Pourquoi ce type aurait-il assisté à tous ces enterrements ? Si je me suis abstenu d'aller lui rendre visite au supermarché cette semaine, c'était avant tout pour faire le point sur cette histoire, pour prendre du recul. Mais à présent, la nécessité de me frotter à nouveau à son univers se fait de plus en plus prégnante. Je dois en savoir plus, je veux plus de détails. Je décide de m'y rendre dès cet après-midi.)

— … longtemps encore.

Nous applaudissons le discours de mon père. Il souffle les bougies. Nous applaudissons à nouveau.

## 22

Voilà maintenant trois quarts d'heure que j'arpente les rayons du supermarché de long en large avec une fébrilité croissante sans aucun résultat. J'ai beau me répéter qu'il m'a berné, qu'il était, la dernière fois, simplement en train de faire ses courses et que toute cette histoire n'est qu'une vaste fumisterie, j'éprouve un besoin vital de le voir.

Je me dirige par réflexe vers l'accueil avec l'intention de demander des renseignements sur cet employé mais réalise aussitôt l'absurdité de ma requête. Qu'est-ce que je vais dire à la personne de l'accueil ? *Bonjour, je cherche un de vos clients qui devrait être ici et qui n'y est pas ?*

De plus, si Figurec existe vraiment, je ne peux pas risquer de compromettre mon bonhomme.

Je sors du supermarché complètement abattu. Je tourne un moment dans le parking, évitant ou pas les consommateurs en chariots qui regagnent leurs voitures comme une colonie de fourmis une veille d'automne.

Une évidence m'apparaît à ce moment-là et je me trouve presque idiot de n'y avoir pas pensé plus tôt : qu'il soit figurant en supermarché n'implique pas forcément qu'il soit dans celui-ci. Il tourne probablement sur toutes les grandes surfaces du coin.

Revigoré, je me lance à l'assaut de ces forteresses de la consommation pour dénicher dans cette immense meule de foin l'aiguille qui, depuis quelques jours, fait des petits trous dans mon cerveau.

## 23

Julien a beau me faire écouter *Ève lève-toi* de Julie Pietri en se tordant de rire, il ne parvient pas à me remonter le moral. J'ai passé ma journée à visiter des supermarchés dans un rayon de cinquante kilomètres, sans en oublier un seul, minutieusement plié sur ma carte en archéologue maniaque. J'ai dû en faire près de quarante, sans résultat.

— Tu te souviens de ça ? Quel coup de pot, j'allais repartir sans avoir rien déniché d'intéressant et, juste avant la sortie, voilà que je tombe là-dessus. En plus le gars me l'a lâché pour rien.

Certains ont plus de chance que d'autres dans leurs recherches. Peut-être devrais-je moi aussi me lancer dans une collection triviale pour me donner l'illusion d'une quête, pour créer un sens à mes journées, me jeter à corps perdu comme Julien dans ce qui paye à tous les coups, une collection de briques de lait UHT, de feuilles de platanes, de litières pour chats. Pendant qu'il tente de réunir les chansons qui ont fait le Top

50 dans les années quatre-vingt, Julien oublie qu'il est peut-être cocu. Thérapie à l'efficacité douteuse mais qui a au moins le mérite de ne pas coûter cher.

Où est-il ? Je me sens orphelin d'un cinglé qu'il y a une semaine à peine je voulais voir enfermé. Même frappé de mythomanie aiguë, on ne monte pas un canular avec une telle intensité, une telle rigueur. Cette voix, au bar, éraillée, affectée, lourde de souffrances encore vives, peu d'acteurs sont capables de jouer ça. A fortiori après huit ballons de rouge.

Pendant que Julien range son disque avec les autres à la lettre P, Claire, entre chaque bouffée de cigarette, plante l'ongle de son auriculaire entre ses incisives, pensive. Si un phylactère ennuagé apparaissait au-dessus de sa tête, on pourrait y voir : un critique aux *Cahiers du cinéma*, un pompier à la braguette bosselée, un peintre célèbrement maudit qui s'exprime essentiellement en silences érudits, un éducateur spécialisé dans l'autisme infantile.

On n'y verrait pas : un adolescent attardé qui range un disque de Julie Pietri à la lettre P.

# 24

## *Acte I*, scène 1

*Jean-Certain entre en trombe dans le salon.
Épitaphine est assise sur le canapé.
Elle lit la correspondance entre Spinoza
et son voisin de palier.*


*Jean-Certain* : Nous avons reçu une lettre de Pierraliste, il vient passer le week-end à City-ville !
*Épitaphine :* C'est ines…

# 25

… péré : alors que j'arpente le trottoir au hasard, hésitant à me rendre à l'enterrement de Daniel Belliano (je ne connais pas les Belliano et je ne suis pas dans une période où j'ai le goût du risque), quelqu'un tape derrière une vitre de manière insistante, comme pour attirer mon attention. Je me retourne et le découvre attablé à l'intérieur d'un restaurant.

Quand j'arrive à sa table, il m'invite à m'asseoir, plutôt affable, une lentille collée sur le coin de la bouche.

— T'as bouffé ?

Je commande un petit salé aux lentilles, comme lui. Il continue à manger, assez bruyamment, insérant méthodiquement une gorgée de rouge entre chaque bouchée.

— Vous êtes ici en figuration ?

— T'es con ou quoi ? Tu vois pas que je suis en train de bouffer ? Tu sais pas faire la différence ? Ben non, j'oubliais, évidemment que tu sais pas faire la différence... J'ai encore du mal à intégrer qu'on n'est pas collègues.

Il dissimule un renvoi derrière sa serviette, on ne voit pas mais on entend le bruit.

— Tu me prends pour un fils à papa ? Y'a que les pistonnés qui font les restos, les merdeux qui sont nés du bon côté. Les restos c'est réservé. C'est pas une histoire d'ancienneté, même avec trois cents ans d'ancienneté, je pourrais pas postuler, je suis un roturier pour eux... Tu veux un tuyau ? Un gars qui bouffe un petit salé aux lentilles, il est pas de chez Figurec.

Le garçon, un jeune homme probablement apprenti, m'apporte mon assiette. Il la pose sur la table avec une prestance très aristocratique, un souci aigu de perfection – alors qu'il sert de la saucisse avec des lentilles.

— Je suis passé au supermarché, vous n'y étiez plus.

Il a l'air surpris, et probablement aussi un peu flatté, que j'aie cherché à le revoir.

— Ouais, on m'a appelé pour un remplacement, une série de débats dans une médiathèque sur la gratuité de l'art, ou un truc dans le genre... Pour le coup j'ai eu du pot, promu du supermarché à la médiathèque... Surtout que c'est la première fois que je fais les médiathèques, je suis encore sous le charme de la nouveauté. Même si c'est pas toujours évident de rester assis pendant deux heures à faire semblant d'écouter ces conneries à la pelle... Je crois en avoir repéré un autre, il a bâillé au moins une dizaine de fois pendant le débat. Mais je prends plus de risques, j'ai rien fait pour le contacter, je vais essayer de me tenir tranquille pendant un petit moment. Aucune envie de retourner au supermarché...

— Justement, à propos de risques, ne croyez-vous pas que ça puisse être dangereux pour vous de me raconter tout ça ?

— Ouais... J'ai fait une grosse boulette le jour où je t'ai déballé le truc... Maintenant, à moins de te tirer une balle dans le caisson, faut que j'assume. Quoi qu'il en soit, j'en avais besoin... Et puis j'ai pensé : quelqu'un qui se tape autant d'enterrements, c'est forcément un gars aussi seul qu'un tænia, j'avais pas l'impression de prendre un gros risque...

Il laisse flotter sa phrase comme attendant une confirmation. Ce que je fais sur-le-champ.

— Ne vous inquiétez pas.

Son expression s'adoucit, apparemment ces quelques mots lui suffisent.

— Le tout c'est de pas se faire gauler par un contrôleur.

— Depuis le temps, vous devez savoir les repérer, non ?

— Ouais, la plupart. Sauf qu'ils sont pervers chez Figurec, ils évoluent en permanence... À une époque c'était simple, ils se cassaient pas le bol, tous les contrôleurs étaient fringués en flics, ça leur permettait de fureter tranquilles. Mais maintenant ça s'est affiné, ça peut aller du mendiant à l'ado qui fait du skate, ils ont brouillé les pistes...

— Et dans le cas où ils apprendraient...

— Pour moi, c'est direct la boîte d'informatique à perpète. Pour toi, y'a deux solutions : la plus probable, c'est l'accident de voiture, l'infarctus, le règlement de comptes pour trafic de coke, mille autres trucs, ils manquent pas d'imagination pour faire disparaître les gêneurs... Le plus fréquent, la marque Figurec, c'est la rupture d'anévrisme. C'est un truc qui a jamais existé, pure invention de Figurec, la prochaine fois que tu entendras parler d'un mort suite à une rupture d'anévrisme, tu sauras que c'était un gêneur. Et puis il y a l'autre solution, celle des cocus, c'est qu'ils te découvrent des antécédents vaguement roquebrunistes et là c'est le recrutement forcé, soit en tant que client, soit en tant qu'employé, avec passage devant le temple, serment et tout le tralala...

Je me sens blêmir. Ce type est en train de me dire le plus calmement du monde que sa confidence peut très bien m'avoir précipité dans le couloir de la mort.

— Eh ! Je suis pas d'accord moi, je vous ai rien demandé, c'est vous qui êtes venu me raconter votre histoire !

— Flippe pas garçon, c'est le meilleur moyen de se faire repérer. Reste tranquille. Et attaque ton petit salé ou tu vas bouffer froid.

Je suis incapable d'avaler quoi que ce soit. Je passe le reste du repas à l'écouter parler en dessinant des formes sans signification particulière dans l'assiette de lentilles avec le bout de ma fourchette. De temps à autre, j'imagine un groupe de gendarmes découvrant une voiture pliée dans un talus, en pleine campagne, mon corps ensanglanté dépassant du pare-brise, la joue posée sur le capot du moteur dans une expression de terreur figée.

## 26

Cette fille pleure admirablement, c'est une pleureuse comme elle qu'il me faudrait à mon enterrement. Assez bouleversée pour entraîner les autres dans le chagrin et assez jolie pour que ça ne tourne pas au pathétique – et, accessoirement, pour que l'assistance conjecture que j'avais un certain succès auprès des filles.

Depuis quelque temps – pour être précis : depuis le petit salé aux lentilles –, je ne peux assister à un enterrement sans systématiquement me mettre en scène. Je suis incapable d'apprécier objectivement les cérémonies, chaque détail me renvoyant inévitablement à ma propre mise en boîte. J'ai réalisé que s'il me fallait partir, d'ici disons un mois, ma cérémonie serait un fiasco.

Pas d'anciennes maîtresses se souvenant en larmes quel bon coup j'étais, quasiment pas d'amis, des parents aussi charismatiques qu'une paire de charentaises, un frère tellement brillant qu'il en détournerait l'attention, pas d'anecdote vraiment marquante à mon sujet. Un pur fiasco.

L'enterrement de Marthe Chabot, que j'ai toujours considéré comme le degré zéro de l'enterrement, à côté du mien, c'est les obsèques de Lady Diana.

Que représente cette fille pour le défunt ? Sa sœur ? Sa femme ? Sa maîtresse ? Figurec option pleurs ? Voilà bien le seul recours qui pourrait sauver ma cérémonie, payer une douzaine d'amis éplorés se souvenant de mes pièces comme d'un savant mélange incompris entre Tchekhov et Ionesco, certaines maîtresses à la beauté sobre dont une pleureuse en chef (que celle-ci jouerait à merveille), un éditeur qui était sur le point de publier ma pièce, et une famille dont je faisais la grande fierté (prévoir quelques petits-cousins dont j'étais le modèle secret).

Ironie du sort, cette commande est impossible : je ne suis pas assez proche de Figurec alors que c'est Figurec qui m'aura envoyé à six pieds sous terre car ils me trouvaient trop proche d'eux.

Ils vont m'éradiquer comme un vulgaire rat qui viendrait de trouver un accès secret jusqu'à l'intérieur du placard. Non que j'y sois passivement résolu, mais le rat non plus n'y est pas résolu. Ce qui ne l'empêche pas de se retrouver avec les cervicales broyées. Bien que pour ma part, j'ose espérer une fin plus subtile – plus *humaine*.

# 27

Il y a deux Julien. Celui des repas du soir, détendu, léger, hédoniste, riant aux éclats sur *Les Démons de minuit,* organisant des concours de cerceaux de fumée de cigarette en se saoulant à la liqueur de fruits de mer. Et il y a le Julien des pauses de midi : angoissé, exsangue, dépressif, sans appétit, faisant des nœuds de marin avec ses doigts, sa serviette et ses hypothèses.

— Hier je l'ai trouvée en train de…

*(Si je tiens à lui rendre hommage aujourd'hui, je le fais sans sa bénédiction car nous savons tous combien il était peu friand d'exhibition, sa légendaire modestie l'ayant poussé jusque dans les retranchements les plus obscurs de la discrétion. Il m'en voudra probablement de cet éloge, tant pis pour lui, il n'avait qu'à pas mourir –* petits rires tristes. *La maladie –* ou *l'accident,* ou *le meurtre – nous l'a pris si tôt… mais je crois qu'il détestait trop la banalité pour attendre de s'éteindre calmement dans les méandres froids d'un hospice hors de prix. Dans sa pièce, hélas tardivement reconnue, ne lit-on pas…*

*Ne lit-on pas...* Et merde, dès qu'il s'agit de ma pièce, je bloque, même dans mon hommage.)

— ... alors qu'elle prenait habituellement des olives.

— Écoute, je crois que tu ne devrais pas t'inquiéter, ça arrive dans tous les couples.

— Tu crois ?

— Bien sûr.

— J'espère que tu as raison... Cette lettre vient peut-être simplement d'un membre de sa famille, un cousin ou une tante... Et elle ne veut pas me...

Non. Julien est trop mal en ce moment. Il serait incapable de faire un discours aussi spirituel. Et il est un peu tard pour trouver un autre meilleur ami. A fortiori un meilleur ami qui n'ait aucun doute sur la fidélité de sa femme. Reste la solution de pré-enregistrer mon propre éloge sur une cassette et laisser ça comme on laisse un testament. Le jour J, n'importe qui peut venir appuyer sur le bouton du radiocassette, pas besoin d'être spécialement charismatique. Le problème, c'est qu'on frôle dangereusement le happening d'art contemporain, ce qui pourrait sérieusement discréditer la cérémonie. L'attention va se porter plus sur la forme que sur le fond et l'effet de tristesse risque d'être complètement parasité par la surprise. Sans compter que ça peut aussi remettre en question ma légendaire modestie susnommée. Idée à ne pas creuser.

— ... au-dessus d'Avignon.

— Écoute, je crois que tu ne devrais pas t'inquiéter, ça arrive dans tous les couples.

# 28

Théo la prend dans ses bras et la serre tendrement mais Anna ne parvient pas à endiguer le flot de larmes qui la submerge. Il souffle sur le cimetière un vent léger qui soulève à peine ses cheveux d'ébène. Elle n'a pas la force de surmonter l'idée même de mon absence, la disparition avec moi de tous ces moments privilégiés.

À cet instant précis, elle repense à la position de l'intérimaire trotskiste, au jour où nous l'avons expérimentée pour la première fois. C'était le début du printemps, un jour brûlant à bien des égards. Nous nous étions croisés par hasard devant la porte des toilettes d'une ferme-auberge de produits biologiques, elle avait commencé par ôter sa chemise translucide avec des gestes amples et langoureux de chatte sauvage et ma mère pose devant moi une assiette d'huîtres vivantes qu'il va falloir tuer.

— En quel honneur les huîtres ?

— Il faut un honneur pour manger des huîtres maintenant ?

— Merde, moi qui croyais qu'on fêtait la fin de sa pièce…

Nous rions sobrement, je réponds un *bientôt bientôt* un peu artificiel.

Mon frère, voilà quelqu'un qui a le sens de la repartie pour un éloge efficace, je ne vois pas pourquoi j'irais chercher ailleurs. D'accord, il se peut que son physique d'éphèbe détourne l'attention, mais c'est un risque à prendre. Et puis le chagrin l'aura passablement défiguré le jour de la cérémonie, il aura probablement les yeux cernés et rougis par les larmes et le manque de sommeil (sans compter les lèvres gercées par le froid). Non non, mon frère, ça me semble parfait, je me demande comment je n'y ai pas pensé plus tôt.

Étape suivante : où est-ce que je vais bien pouvoir trouver des admirateurs qui situent ma pièce entre Tchekhov et Ionesco ?

## 29

Depuis une semaine, et bien que conscients des risques que cela comporte, nous nous retrouvons dans ce troquet pour partager certains de nos repas. Je devrais lui en vouloir de m'avoir précipité malgré moi dans cette spirale, pourtant, je ne sais pas pourquoi, j'en suis incapable. Non seulement je n'arrive pas à lui en vouloir, mais la perspective qu'il soit la cause de ma mort nous rapproche – c'est très rare de connaître d'avance celui à qui votre trépas incombe.

Nous prenons invariablement le petit salé aux lentilles qui se trouve être le plat des jours (littéralement : le plat du jour chaque jour). Bien que ce soit le seul plat disponible, le garçon prend la commande avec une application presque religieuse, la notant sur son carnet afin de ne pas l'oublier.

— Toujours pas de représailles ?

— Toujours pas.

— On serait passés au travers ?... Non... Ça

m'étonnerait vraiment, les contrôleurs se laissent pas avoir aussi facilement...

— Vous êtes encore dans les débats de la médiathèque ?

— Non, les débats c'est fini. Mais étant donné que j'ai fait du bon boulot, ils m'ont laissé à la médiathèque. Je déambule dans les rayons, je regarde les livres, je les prends, je les pose, des fois je fais semblant d'aller demander un renseignement sur un auteur ou une édition. C'est peinard comme truc, j'aimerais bien finir là. Raison de plus pour pas se faire choper...

— Il y en a d'autres avec vous ?

— Je sais pas trop... Y en a un que je soupçonne... Un boutonneux qui vient lire toute la journée des bouquins sur le Moyen Âge... Ça paraît flagrant mais il a l'air tellement concentré que je sais pas trop... Ou bien c'est un petit génie de Figurec, un super-acteur, ou bien c'est un malade... Je penche plutôt pour la seconde hypothèse, je pense pas que Figurec gâcherait un talent pareil en médiathèque. Un gars comme ça serait plutôt casé dans la figuration active, genre neveu en hypokhâgne pour les réunions de famille...

Il vide ses ballons de rouge à la chaîne. Sa consommation par repas doit tourner autour de deux litres sans que son élocution en soit altérée le moins du monde. À peine une pointe de lueur vitreuse qui germe dans sa pupille émeraude. J'ai tant de questions à lui poser que nos discussions se rapprochent plus de l'interview que du réel échange. Je ne vois pas de toute façon ce que moi, jeune pousse, je pourrais apporter à un chêne pareil. L'insouciance folle de la jeunesse ? Surtout pas. Je suis né vieux. Vieux et conscient de l'inexorable. Depuis ma naissance je pense à ma mort. Même dans mes rires les plus francs, cette phrase revient comme un refrain : dans soixante ans tu n'existes plus.

— Figurec fait tous les domaines ?

— Tous. Y compris ceux que tu soupçonnerais pas… Figurec est allé jusqu'à créer des professions entières. À la base c'était pour caser les rejetons des amis. Eh ouais, toujours les éternelles magouilles. Du coup, on se retrouve avec des boulots totalement fictifs, qui n'existent que pour faire tourner Figurec. Et je peux te dire qu'y en a un bon paquet… Gérante de galeries d'art par exemple, ça existe pas, ça existe que pour occuper les bourgeoises des gros bonnets de Figurec. Les femmes commençaient à tourner en rond, elles commençaient à brandir leurs banderoles MLF *Je peux m'épanouir que si je trime,* alors les maris ont créé la fonction pour calmer l'organe. Ils ont gambergé un moment puis ils ont trouvé ça. Elles ont rien à faire, la vitrine est parfaite et ça a l'avantage de pas les traumatiser en les collant dans un milieu social trop différent du leur… Des domaines dans ce style, conçus par les roquebrunistes, t'en as à la pelle. Ingénieur en simulation informatique et autres tâcherons dans les boîtes d'informatique, gérant de discothèque, fan de C. Jérôme

(d'ailleurs C. Jérôme lui-même était une création de Figurec), agent artistique, inspecteur de
l'Éducation nationale, psychologue pour enfants,
conseiller d'orientation, attaché de mairie aux
projets ruraux, contrôleur de bus de ville, inter-
venant nihiliste dans les débats de cafés philos,
ornithologue, hôtesse d'accueil à l'hôtel des
impôts, la plupart des boulots dans la production de disques, ministre de la jeunesse et des
sports, quatre-vingts pour cent des trucs pour
la télévision (c'est d'ailleurs là qu'y'a eu le plus
de créations de postes), sénateur, académicien...
Rien de tout ça n'existe, pur Figurec, et je t'en
passe et des meilleures...

Le garçon vient prendre la commande du
dessert. Nous avons le choix entre une mousse
au chocolat. Il débarrasse nos assiettes avec des
gestes très féminins, s'inquiétant de savoir si ça a
été. Nous lui disons de féliciter le chef pour son
petit salé, comme d'habitude. Il rougit, comme
d'habitude. Il nous répond que le chef sera ravi,
comme d'habitude.

Quand le garçon repart, je décide de me jeter
à l'eau.

— Il vous arrive de travailler au noir ?

— Ben non, t'es con, puisque tout est géré
par Figurec et que les ordres ne peuvent transiter
que par eux...

— Oui, je sais... En fait c'était plutôt pour
vous demander autre chose... Est-ce qu'il vous
arrive de faire du bénévolat, de la figuration par
goût ou pour un service ?

— Bénévole, mon gars, c'est l'injure la plus moche de la langue française. J'utilise jamais ce mot, j'ai de l'éducation... Pourquoi tu demandes ça ? Qu'est-ce que t'as derrière ton crâne de piaf ?

— Non, c'était juste que... En supposant qu'il m'arrive quelque chose... Une rupture d'anévrisme par exemple... je voulais savoir si vous seriez prêt à... à venir pleurer à mon enterrement...

— Ah, c'est ça ton problème ? T'inquiète pas, tu peux compter sur moi. Après tout c'est moi qui t'ai mis dans la panade, je te dois bien ça. Et puis les enterrements ça m'éclate bien.

Ce type est un saint. Je suis tellement ému que j'ai envie d'embrasser ses grosses joues gonflées par la vinasse.

# 30

Il me faut une chanson. C'est l'idée qui me traverse alors que l'oraison pour Fernand Guyot traîne en longueur. Je repense à la jeune Frédérique Mangeaud, à *Puisque tu pars* dans l'église (quand je pense à un autre enterrement qu'à celui dans lequel je me trouve, c'est un signe sans appel que ce dernier est de qualité médiocre). Quelle puissance. Vous pouvez avoir été le roi des cons, la pire des ordures durant toute votre vie, quand *Puisque tu pars* passe dans l'église, tout le monde vous regrette déjà.

Il faut impérativement que je m'attribue une chanson populaire triste, une chanson favorite qui ferait flancher les plus endurcis. Je songe un instant à prendre moi aussi la chanson de Goldman mais je me ravise très vite : j'ai trop peur que certaines personnes fassent le lien avec la jeune Mangeaud. On crierait aussitôt au plagiat, l'église se remplirait probablement de sifflets de reproches. Je ne le supporterais pas.

J'échafaude mentalement une liste de chansons populaires qui auraient pu me tirer des larmes par le passé, c'est à l'évidence le premier critère, je ne vois pas comment je pourrais faire pleurer les autres avec une chanson qui ne me fait pas pleurer moi-même.

*Mistral gagnant* de Renaud,

*Avec le temps* de Ferré,

*Drouot* de Barbara.

Ou un tango de Carlos Gardel, n'importe lequel.

À moi de piocher là-dedans.

On descend lentement le cercueil dans le caveau, d'ultimes reniflements se font entendre, puis plus rien. Le silence, total, énorme, emplissant l'espace de sa masse terrifiante, suscitant un respect rare, une parenthèse spatiotemporelle d'une puissance inouïe. Je reconsidère du même coup la qualité de la cérémonie. Ce mutisme absolu, digne, sans la moindre aspérité, a sauvé in extremis un enterrement qui, on peut le dire, ne partait pas pour marquer les annales funéraires.

Alors que le groupe se disloque lentement vers la sortie, une voix fluette s'adresse à moi :

— Je peux vous parler ?

C'est une petite vieille, fripée jusque dans le regard, d'environ cent quatre-vingts ans et la moitié en centimètres. Sa voix semble avoir du mal à sortir, comme si elle en avait perdu l'habitude, n'étant plus que d'une utilité restreinte, s'éteignant progressivement par un phénomène darwinien.

Cette femme respire la bonté. Je m'arrête et lui adresse mon plus beau sourire forcé, le plus catholique, celui que je réserve habituellement aux enfants atteints de maladies génétiques.

— Oui ?

— Nous savons tout pour Bouvier. Je vous demande de me suivre.

— Pardon ?

— Arrêtez de faire le mariole, ça fait plusieurs jours que vous êtes repéré, vos entrevues avec Bouvier sont répertoriées une à une. Si l'on n'est pas intervenu avant, c'est parce qu'on vous sentait encore un peu sceptique. Maintenant que ce dissident de Bouvier vous a totalement convaincu, on ne peut pas se permettre de vous lâcher dans la nature.

— Mais de quoi parlez-vous ? Qui est ce Bouvier ?

— Si je vous dis Figurec, ça vous suffit ?

Ce mot pourtant entendu des dizaines de fois ces derniers temps me gifle le visage. Ainsi ça y est. Je me sens totalement impuissant, je sais qu'il est inutile que j'oppose la moindre résistance.

Il est l'heure de la rupture d'anévrisme.

Je ne suis pas triste que ce soit déjà la fin, je suis triste de l'avoir si mal organisée.

[FIALITÉ]

# 31

Tania mange son gratin de courgettes avec
une grâce très particulière. Sa mâchoire effec-
tuant une danse langoureuse pendant que ses
yeux verts tapis sous de longs cils lancent alentour de vifs coups d'œil de frêle rongeur.

Tout le monde est sous le charme. Mon père
particulièrement, qui, tiré d'un long sommeil
– un sommeil de soixante-deux ans – la mar-
tèle de questions avec une énergie que nous lui
découvrons avec plus ou moins de satisfaction. Il
est manifeste que ma mère le préfère anémique,
il ne lui a jamais posé autant de questions à elle
en quarante ans de vie commune. Malgré tout,
sa fierté de mère prend le pas et on peut lire
dans son sourire comme dans un livre ouvert :
*ouf, le vilain petit canard a enfin réussi à se caser.*

Tania native d'Istanbul de parents baroudeurs,
mon père se découvre une passion pour l'histoire
de la Turquie, alternant lieux communs sur la
religion musulmane (bien que Tania ne soit pas
musulmane) et humour vaseux sur les Turcs qui

travaillent tous dans le kebab. Mon frère, égal à lui-même, c'est-à-dire brillant, est parfois obligé de le couper pour relever le niveau, parlant d'Atatürk et des derviches tourneurs comme s'il était né dans une habitation troglodyte de l'Anatolie centrale. Anna, silencieuse, écoute, observe, avec une pointe de jalousie mêlée d'admiration devant cette créature parfaite : Tania. Ma Tania.

— Reprenez donc un peu de...

## 32

... tendresse, voilà ce qui me manquait pour m'équilibrer, structurer tout mon être et, plus pragmatiquement, pour en découdre avec ma pièce qui n'en finissait pas de ne pas commencer.

J'ai rencontré Tania dans une librairie – au rayon théâtre justement. Elle feuilletait une version poche d'Andromaque avec un sourire difficile à interpréter, d'un charme ancien, d'un autre temps. Une mèche d'un châtain lumineux partageait son profil en un diptyque religieux.

Cette flasque enveloppe que j'habite depuis trente ans s'est approchée d'elle et je l'ai regardée opérer, simple spectateur de cette fougue insoupçonnée. Je l'ai vue adopter une démarche inédite, minutieusement sélectionnée dans la liste de mes vies antérieures – si je l'avais sue capable d'un tel aplomb, nul doute que ma vie aurait été autre.

Le reste devient assez flou, juste quelques images. Une tirade d'Andromaque qui lui fait lever les yeux, un échange dont je n'ai retenu que ses petits rires, et nous sommes dans un bar autour d'un café, et nous fumons des cigarettes en nous jaugeant, et nous parlons de théâtre, et j'apprends qu'elle est actrice dans une troupe, et nous sommes bien, et je la raccompagne parce qu'elle a un rendez-vous, et nous décidons de nous revoir, et, deux heures après l'avoir vue pour la première fois, je suis à elle depuis la nuit des temps et pour l'éternité.

Sur ma trousse, comme un collégien, j'écris Tania. Comme un collégien j'ai envie de le cacher et que le monde entier le sache.

Si ma pièce n'avançait pas, c'est que je n'avais pas de Tania. On écrit toujours pour une Tania, ou alors on n'écrit pas, on n'en a pas besoin.

À peine nous sommes-nous quittés, je suis rentré chez moi et me suis installé à mon bureau, fébrile, happé. Au bout de trois jours et trois nuits, ma pièce était terminée. J'ai confié le manuscrit à Tania pour un premier avis. Quand nous nous sommes revus, les mots lui manquaient pour exprimer ce qu'elle avait ressenti en le lisant.

Nous avons passé le repas, tels deux adolescents encore pleins d'illusions, à échafauder des avenirs radieux, à ciseler des critiques dithyrambiques dans *Les Inrockuptibles*, à répondre aux questions enjouées de José Arthur, à imaginer quels acteurs – outre Tania, bien entendu – feraient l'affaire, à dresser des listes d'invités pour la première, des listes qui comprenaient tout le...

## 33

— … gratin, c'est fait avec des courgettes bio.

Ma mère ressent toujours le besoin de préciser l'origine des aliments qu'elle propose à ses
invités, de manière un peu paranoïaque, comme
si elle était persuadée que les gens qui viennent
manger chez elle redoutent l'intoxication alimen-
taire. Si la cuisine était assez grande pour y faire
entrer deux bovins, elle présenterait aux invités
les parents du steak.

Je pose de temps à autre ma main sur celle de
Tania. Fugaces attouchements complices. Elle
semble à l'aise, évoluant entre timidité polie et
assurance discrète.

— Alors quand est-ce qu'elle se monte cette
pièce ?

— J'ai rendez-vous avec un metteur en scène
cet après-midi. Au téléphone il avait plutôt l'air
emballé…

— Je le crois pas, je bouffe à la table de
Shakespeare !

Mon frère est surexcité. Son humour transpire

de fierté pour son grand frère, façon pudique de me féliciter, de me prendre dans ses bras. Alors qu'il réclame à Tania son opinion sur Adjani – coupant mon père qui allait lui demander pour la dix-septième fois si c'est joli Istanbul –, je sens Anna absente. Elle regrette probablement que nous n'ayons pas eu le temps d'expérimenter la position du fabricant de Tipp-Ex dans les arènes d'Arles. C'est ainsi Anna, la roue tourne. Tænia hier, Tania aujourd'hui. Je suis persuadé que tu trouveras un autre amant aussi attentionné.

Le repas se déroule dans une ambiance surchauffée de bonne humeur douillette et quand nous prenons congé, tout le monde embrasse Tania tendrement pour lui signifier qu'elle fait désormais partie de la famille. Je serais curieux de savoir si mon père a définitivement adopté ce nouveau sourire ridiculement figé ou s'il va retomber dans le coma dès que nous aurons franchi le pas de la porte. Dans la rue, je sens mon dos criblé des regards attendris que mes parents nous tirent à travers les rideaux.

— C'était pas trop dur ?

— Non non, le gratin était délicieux.


Dans la voiture, elle se contente d'aspirer de longues bouffées de sa cigarette en recrachant la fumée dans la mince ouverture de la vitre, sans un mot. Nous roulons une dizaine de minutes, dans un silence abbatial. Lorsque nous arrivons à destination, je me gare sur le côté sans couper le contact.

— À mardi ?

— À mardi.

Elle descend, je l'observe alors qu'elle s'éloigne de sa démarche si touchante, si fillette, jusqu'à ne plus pouvoir la discerner au milieu de la foule, comme un rêve qui s'estompe lentement.

## 34

Je fais un signe à Julien dès qu'il ouvre la porte du bar. Il traverse la salle visiblement étonné que je sois accompagné. Il a tellement l'habitude de me voir seul qu'il en a presque une expression effrayée, comme s'il découvrait une bête de foire, la personne en face de moi ne pouvant être qu'une excroissance de mon propre corps qui aurait poussé pendant la nuit suite à l'ingestion d'un yaourt périmé.

Devant notre table, il a l'air complètement perdu, c'est bien ça, il n'a pas rêvé : je suis avec quelqu'un, quelqu'un qui n'est pas lui, cette histoire est complètement insensée.

— Julien, je te présente Gilles Bouel, metteur en scène. C'est lui qui va travailler sur ma pièce.

Ils se serrent la main assez maladroitement, Julien ne sait pas s'il doit s'asseoir.

— Enchanté... Écoute, je peux repasser si tu veux, si vous êtes en train de parler boulot...

— Non non, vous pouvez rester, j'allais partir. Nous étions en train de peaufiner, pour ne pas dire papoter. Vous savez ce que c'est, quand deux passionnés se rencontrent, il faut les décoller avant qu'ils ne commencent à radoter et à taper sur les confrères...

Le metteur en scène se lève en riant un peu fort et écrase mon épaule dans sa main comme un demi-pamplemousse.

— Bon, alors je te rappelle dans le courant de la semaine pour qu'on règle les derniers détails, OK ?

Il sort en saluant le serveur de sa grosse voix excessivement sociable. Julien s'assoit sur la chaise encore chaude et commande un café.

— Tu nous avais dit que tu avais bouclé ta pièce mais je savais pas que c'en était déjà là. C'est génial ! Je parie que si j'avais pas débarqué en avance, tu aurais continué à nous le cacher, voyou, va ! Quand je vais le dire à Claire...

Il semble réellement heureux pour moi. C'est à ça qu'on reconnaît les vrais amis, ce sont les seuls que votre bonheur ne déprime pas – ou quand c'est le cas, ce sont les seuls à vous l'avouer.

— Tu me connais, je suis superstitieux, je ne voulais pas vous en parler avant d'en être vraiment sûr...

— Et ça y est ? C'est sûr ?

Je confirme humblement d'un hochement de tête. Il lance un *youhou* de rodéo et commande deux coupes de champagne en plus de son café. Ça me réchauffe le cœur de le voir dans cet état.

Je suis heureux qu'il soit heureux que je sois heureux.

— Bon alors maintenant tu peux lâcher de l'info, elle parle de quoi ta pièce ?

— Pour l'instant, je préfère rester secret sur le contenu si tu veux bien. Mais disons en gros que c'est l'histoire de retrouvailles entre un couple et un de leurs vieux amis, et cette rencontre va changer le cours de leurs vies à tous les trois. C'est une comédie en cinq actes...

# 35

## *Acte I*, scène 1

*Épitaphine et Jean-Certain se promènent
dans le jardin.*

*Épitaphine* : Je suis impatiente de savoir ce
qu'il est devenu.
*Jean-Certain* : Moi aussi, sacré Pierraliste !

## 36

Je jauge la facture d'un œil inquiet : autant le metteur en scène m'a coûté une somme dérisoire – et pour cause je ne l'ai loué que dix minutes juste pour l'arrivée de Julien – autant Tania n'est pas donnée. J'étais prévenu : à partir du moment où l'on sort de la simple figuration pour une *active*, les tarifs ne sont plus les mêmes.

Il faut dire que je me suis laissé aveugler par les nombreuses options proposées avec ce type d'actives, options finalement très tape-à-l'œil mais sans réelle utilité : choix du prénom, du pays d'origine (exotisme possible, dans les limites de l'Europe et du Maghreb), fumeuse ou non fumeuse, participation aux conversations sur une échelle graduée de un à dix, athée ou croyante, enrouleuse de mèches de cheveux, cinéphile ayant sept opinions différentes sur *La maman et la putain*, fille qui tire sa jupe trop courte, ou qui commence ses phrases par *si tu veux*, et d'autres tics encore, aussi superflus que racoleurs – comme le code secret pour démarrer sa voiture ou la touche *repeat* sur une chaîne hi-fi.

La seule décision dont je sois réellement fier, hormis Tania elle-même, monstre de beauté éthérée, c'est sa fonction : une actrice de théâtre. Mieux que ça : une muse. Qui plus est une muse béate d'admiration pour, je cite, *le nouveau Tchekhov* que je suis. Non, vraiment, je ne pouvais pas mieux choisir.

Quant au prénom, je ne sais pas ce qui m'a pris, je ne vois pas de raison particulière à ce choix – si ce n'est peut-être une vague réminiscence inconsciente d'une actrice porno qui enfiévrait mes nuits d'adolescent pubère.

Peut-être aussi parce que ce n'est pas si éloigné d'*Anna*. D'une pierre deux coups : je me paye à travers ces cinq lettres une petite vengeance sur les deux grands fantasmes inaccessibles de mon existence. Ce qui, tout bien réfléchi, n'est pas excessivement onéreux.

## 37

— Toi, on peut dire que t'as une veine de cocu...

— Mmmh... Je ne comprends toujours pas pourquoi ils ne m'ont pas supprimé.

— Deux solutions : soit une erreur dans les fichiers, mais ça mon gars c'est extrêmement rare vu la gestion de fourmi qu'ils tiennent, soit t'as des antécédents roquebrunistes et tu le sais pas. À mon avis, c'est plutôt ça. Compte pas sur Figurec pour se gourer quand il s'agit de zigouiller un intrus.

— Des antécédents roquebrunistes et je ne serais pas au courant ? C'est impossible, on voit que vous ne connaissez pas mes parents...

— C'est atavique mon gars, comme la calvitie ou l'eczéma, ça peut très bien avoir sauté une génération. T'as peut-être des aïeuls qu'étaient dans le truc et qui ont choisi pour une raison quelconque de briser la chaîne et de pas le transmettre aux fils. Ce sont des crises de conscience qui arrivent. Des gens qui d'un coup veulent perdre leurs privilèges pour vivre comme le commun des mortels, ou alors ceux pour qui le roquebrunisme devient plus une contrainte qu'autre chose. Et toi un jour tu le découvres par hasard, pfuitt, un filet d'eau qui est passé longtemps sous la montagne et qui ressort d'un coup.

— Mmmh... Peut-être... Et vous ça va ? La peine n'est pas trop lourde ?

— C'est pas la joie tous les jours mais j'aurais pu tomber plus bas. Ton histoire m'arrange moi aussi, si t'étais pas devenu client, pour moi c'était le bagne à perpète, l'écran d'ordi jusqu'à soixante-dix berges. On a eu un pot monstre. Aussi bien toi que moi on peut remercier tes arrière-grands-parents... Quand j'y pense, tes aïeuls devaient être sacrément bien placés dans la confrérie pour qu'on s'en sorte et pour qu'on puisse continuer à se voir comme ça. En temps normal, j'aurais sûrement été muté dans le fin fond du pays... Je serais curieux de consulter ton arbre généalogique... Enfin bon, cherchons pas à en savoir trop, je suis retourné dans les supermarchés mais au moins maintenant je relativise...

— Chhhhut !

Une femme devant nous se retourne et nous fait signe de nous taire, une femme un peu moche et pas du tout dans le chagrin. Je suis prêt à parier qu'elle ne connaît absolument pas le défunt. Si elle était réellement triste, elle se foutrait que des gens bavardent derrière elle, elle ne les entendrait même pas. Ça devient vraiment n'importe quoi ces enterrements.

Je suis vaguement mal à l'aise d'avoir invité Bouvier à Charles Lévêque. C'est très moyen. Bien sûr je n'y suis pour rien mais c'est toujours gênant d'être l'initiateur d'une sortie foireuse, dans ces cas-là on se sent étrangement impliqué dans l'organisation.

Personne ne pleure, pas un gémissement, pas un reniflement : Charles Lévêque devait certainement être le roi des connards. Les enterrements de connards sont toujours des fiascos sans nom – sauf s'il y a *Puisque tu pars*.

Néanmoins il y a beaucoup de monde, et le monde sans larmes ça sent Figurec à plein nez.

Seule originalité, la touche d'humour de l'épitaphe : *Je confirme, il n'y a rien après.*

## 38

— Alors, c'est quoi la suite des évènements ?

— Boulot boulot. On attaque les répétitions dès qu'on a trouvé tous les acteurs.

— T'aurais pas un petit rôle pour moi, genre héros ombrageux qui sauve des vies dans un incendie ?

La détonation du bouchon de champagne retentit avec son rire. Claire aussi semble heureuse pour moi. Elle me masse légèrement l'épaule et me fixe dans les yeux, véritablement émue. Son regard dit *je savais que tu réussirais.* Mon regard ne lui répond pas *tu ne sais rien.*

Pourquoi précisément cette répartition ? Pourquoi Tania chez mes parents et pas ici ? Raisons financières avant tout. Je n'ai pas les moyens d'avoir Tania des journées entières, je ne sais même pas encore comment je vais payer les repas réguliers avec ma famille. Chaque chose en son temps. Mais ce n'est évidemment pas la seule raison. Des priorités d'attente se sont imposées assez naturellement : mes parents désespéraient surtout de me voir avec quelqu'un, n'importe qui, n'importe quoi, pourvu que ça appartînt au sexe féminin et bénéficiât d'un minimum de couverture sociale. Alors que les espoirs de Claire et Julien à mon propos étaient plus d'ordre artistique – ce qui ne veut pas dire qu'ils ne s'inquiètent pas pour mon ascétisme libidineux.

J'ai pris le parti, pour des raisons pratiques, de cacher Tania à Claire et Julien, je ne tiens pas à m'emmêler dans mes mensonges, ce qui arriverait inévitablement : je ne suis pas qu'un faux bon dramaturge, je suis aussi un vrai mauvais acteur.

— Allez, pour fêter ça, on peut bien se passer le *Macumba* de Jean-Pierre Mader, si on n'abuse pas, ça peut pas faire de mal...

Nous levons nos verres et, pendant que *Macumba* danse tous les soirs pour les dockers du port qui ne pensent qu'à boire, nous trinquons dans la joie, l'un parce qu'il est cocu, l'autre parce qu'elle a raté sa vie, et un troisième parce qu'il se ruine en faux-semblants pour s'acheter un dernier résidu de dignité.

# 39

Quand je l'écoute parler, j'en viens à me dire qu'elle est finalement très bon marché. Son professionnalisme est bluffant. Elle parle chiffons et y'a plus de saisons avec ma mère, sandre et brochet avec mon père (qui ne pose plus sa combinaison que pour dormir) et mécanique des fluides dans l'histoire du Burkina Faso avec Théo et Anna. En fait, elle écoute plus qu'elle ne parle, posant les bonnes questions à des moments minutieusement étudiés, ce qui donne une impression de participation intense. Je l'observe en coin, totalement subjugué. Une minuscule fossette se creuse sur le coin gauche de sa bouche quand elle acquiesce.

Entre le saint-honoré et le café, ma mère tient absolument à lui montrer des photos de moi enfant et adolescent. Je suis mort de honte. Passent encore celles qui vont jusqu'à douze ans, période de physique insipide mais pas repoussant – *mignon*, dit-on généralement.

De douze à dix-sept : la grande guerre

bactériologique, moi et mon Biactol contre la terre entière, pustules, pousses, furoncles, vers, croûtes, trous, boutons, bourgeons, boutures, noir, blanc, rouge, expressionnisme abstrait sur la gueule, un vrai Pollock ambulant. Tout mon mal-être de cette époque transpire de ces photos. Alors que ma mère répète en boucle *ah ! c'était le bon temps, le temps de l'insouciance.*

De dix-sept à vingt, autre sensation, celle de ma décrépitude. Sur ces photos c'est définitivement moi, moi avec moins de rides, moins de matière grasse, moins de front. Trente ans dans trente pages d'album. Dans cinquante pages, des asticots feront l'état des lieux de mon corps froid pendant que quinze employés de Figurec se souviendront, en larmes, combien j'étais généreux. Ces séances photos me dépriment toujours autant, il faut que je me reprenne.

Tania fait des petits commentaires adorables sur des détails insignifiants, un motif sur un pull ou l'expression absurde d'un élève sur une photo de classe. De temps à autre elle me trouve mignon, ou rigolo, ou chou.

Je donne des sommes non négligeables à une entreprise colossale pour qu'on me trouve chou.

# 40

Au moment de me garer je décide de me jeter à l'eau, Tania est une fille excessivement diplomate, j'essuierai au pire un refus poli.

— Je... Je me demandais si vous accepteriez de venir boire un café...

Alibi grossier : nous venons de le boire chez mes parents. J'ai tourné la phrase dans tous les sens durant le trajet. Alors que je m'étais finalement décidé pour un *ça vous dit un café ?* concis et détendu, je m'entends dire ça, *je me demandais si vous accepteriez de venir boire un café*. On nage en plein Rohmer. Quel con.

Elle consulte sa montre, semble réfléchir quelques secondes et tourne sa tête vers moi dans un ralenti interminable. J'ai le temps de me répéter treize fois *quel con*.

— Pas longtemps alors, je reprends dans une heure.

Littéralement foudroyé par la surprise, je manque de foncer sur le trottoir. Les *d'accord* qu'on m'a retournés à une invitation galante se comptent sur les doigts d'une main – et encore, une main de lépreux.

Je souris sobrement, impossible de lire dans ce sourire-là que ma tension artérielle frôle le...

# 41

— ... drame, mais j'écris aussi des comédies,
ça dépend beaucoup de mon moral. Quand ça
ne va pas trop, j'ai plutôt tendance à écrire des
choses plus légères...

— Ah bon, j'aurais cru le contraire...

— C'est le cas en général... Pour ma part je
crois que je fonctionne beaucoup sur un phénomène d'équilibre, de complémentarité, le théâtre
compense ma vie et vice versa, un système de
*vases communicants de l'âme* en quelque sorte...

Je mime les guillemets avec mes doigts – je
mime à peu près tout d'ailleurs, un peu ridiculement, comme pour éviter que le moindre vide
s'installe entre nous.

Elle fume de manière très sensuelle, alternant
minces bouffées et minuscules gorgées de café
– ça me rappelle Bouvier avec son vin et ses
lentilles mais la comparaison s'arrête là.

Je suis tétanisé par son aura. J'ai beaucoup
de mal à rester naturel. La dernière femme avec
qui j'ai eu une conversation en tête à tête – si

j'exclus ma mère et ma boulangère – est la professeur d'anglais qui m'a fait passer l'oral du bac. Autant dire que, contrairement à *my tailor*, mon expérience *is not rich*.

Seul moyen de me délester de ce stress insurmontable, déplacer le centre de la conversation.

— Et vous, ça fait longtemps que vous êtes chez Figurec ?

Gorgée, bouffée.

— Quelques années. Je ne vous dirai pas combien par décence... (air mutin). Comme beaucoup dans le milieu, j'ai tourné dans pas mal de domaines, les terrasses de café l'été, les pistes de ski l'hiver, les boutiques de prêt-à-porter, les vernissages... J'ai même eu le privilège d'être dans le public d'une émission télé, chez Arthur, *Les enfants de la télé*, juste derrière lui, l'endroit qu'ils réservent habituellement aux potiches souriantes. Ce plan-là, c'est un piston éhonté, je l'ai eu grâce à ma mère qui était déjà derrière Polac dans *Droit de réponse* dans les années quatre-vingt... Je suis consciente d'avoir beaucoup de chance, je crois savoir que certains de mes collègues ne sont pas toujours aussi bien lotis...

— Ne les plaignez pas, eux n'ont peut-être pas à subir d'interminables repas à parler de la pêche à la mouche ou à s'extasier devant les photos d'un adolescent boutonneux...

Elle éclate de rire, c'est la première fois que je la vois rire de si bon cœur.

— Vous avez une famille charmante, et votre mère est un vrai cordon-bleu. Les gens sur cette planète payés à déguster de la paella ou du gratin de courgettes sont relativement rares, vous auriez tort de vous inquiéter pour moi.

— Vous oubliez que vous êtes aussi payée pour m'admirer…

— À ce propos, si vous voulez que j'améliore mon jeu, je serais curieuse de lire ce que vous écrivez.

— Je vous ferai passer mes textes à l'occasion.

J'évite in extremis la plaque de verglas, de quoi me laisser le temps de dénicher une pièce inconnue dont je m'attribuerai la paternité. Elle regarde sa montre et avale le fond de son café.

— Il faut que j'y aille.

— Si ça n'est pas indiscret, c'est pour quel type de travail ?

— Disons que vous n'êtes pas mon seul amoureux…

Elle dit ça avec une pointe d'espièglerie et, c'est absurde, mais je sens poindre tout au fond de moi un sentiment de jalousie très désagréable.

## 42

Sentiment qui ne me quittera pas de la journée. J'ai beau assister à un Castellan de haute qualité, vraiment, un grand cru, je suis à côté de la plaque.

Pendant l'éloge, je ne parviens pas à m'ôter de l'esprit des images qui tournent vite à l'obsession. La simple idée que Tania puisse nouer la moindre complicité avec un autre client me plonge dans un véritable cauchemar. J'en ai la nausée.

Bizarrement, mon concurrent a un visage précis, des traits parfaitement définis : c'est Laurent Bonnet. Un bellâtre qui était dans ma classe au collège et que je détestais par-dessus tout, sans raison particulière sauf celle amplement suffisante d'être un bellâtre quand vous êtes un minable. Dans les différentes phases de ma vie, mes problèmes se sont régulièrement manifestés sous les traits de Laurent Bonnet, allégorie vivante de tout ce qui pouvait me pourrir l'existence. L'employeur qui m'a envoyé la lettre de refus de mon premier boulot estival, c'était Laurent Bonnet. Tous les propriétaires qui ne m'ont jamais rendu la caution de l'appartement, c'est Laurent Bonnet. La fille qui détourne les yeux quand je lui souris pense à Laurent Bonnet. Les mots que je ne trouve pas pour ma pièce vont directement dans la mémoire vive de Laurent Bonnet. Les petits génies de dix-huit ans qui font l'unanimité pendant que vous cherchez un style, c'est Laurent Bonnet. Le type qui me téléphone pour m'inviter à venir retirer mon cadeau au salon du meuble, c'est Laurent Bonnet.

Et donc : l'autre client de Tania, c'est Laurent Bonnet.

J'ai souvent pensé que le croiser aujourd'hui serait la meilleure des thérapies, croiser un bonhomme enflé par une vie bourgeoise, encombré d'un Kevin et d'une Camille, travaillant pour une quelconque société immobilière, le crâne luisant. Faire exploser ma cristallisation maniaque.

En l'occurrence, une solution plus pragmatique serait qu'il existe chez Figurec, et c'est très probablement le cas, des clauses d'exclusivité. Et comme je suis parfaitement conscient de n'avoir pas les moyens financiers de réserver Tania pour moi seul, le constat est simple : ou bien je partage ou bien je deviens cinglé.

## 43

— … c'était ça ou devenir cinglé. J'ai fini par craquer, je ne pouvais plus rester dans le flou. Je suis allé fouiller dans ses affaires pour retrouver cette fameuse lettre. Je sais que c'est pas joli joli mais Claire a…

(Je ne suis pas contre la notion de partage en soi mais plutôt contre ce qu'elle implique intrinsèquement : la compétition. Que Tania fréquente d'autres clients n'est pas si dramatique, qu'elle y prenne plus de plaisir qu'avec moi l'est beaucoup plus. D'autant qu'il y a peu de chances que l'autre, appelons-le Laurent Bonnet, loue ses services pour rassurer des parents d'un autre siècle. Lui la traîne probablement de bars luxueux en vernissages, de bords de mer en repas aux chandelles, l'exhibe comme un bijou de famille en lui chuchotant dans le creux de l'oreille des aphorismes d'Oscar Wilde. Peut-être même a-t-il le droit de la tenir par la taille, option hors de prix. Je dois absolument reconsidérer mon budget à la hausse, je ne peux pas continuer à la voir uniquement dans le cadre étriqué d'une salle à manger kitschissime.)

— ... tu vas me dire rien de bien compromettant, c'est sûr, alors comment expliques-tu qu'elle ne m'ait jamais parlé de ce Henri ?

— À mon avis, tu devrais lire cette lettre.

Il me dévisage avec un air ahuri. Il se pourrait très bien que j'aie répondu à côté.

# 44

Bouvier jette un paquet de biscuits aux matières grasses hydrogénées dans son caddie.

— Tu vois ce truc par exemple, je dois l'avoir tous les jours. Et si par hasard je l'oublie, y'a un client qui vient me le conseiller.

— Un contrôleur ?

— Tu commences à piger.

— Il y a quelque chose d'essentiel que j'oublie toujours de vous demander : un figurant dans les cérémonies, pour faire nombre, je comprends, mais quelle utilité dans le commerce ?

— Le principe de Newton adapté à Figurec mon gars : la masse attire la masse. Tu colles deux restos, l'un des deux peut proposer la pire des tambouilles, s'il est rempli, les gens se battront pour le remplir encore plus. La populace aime pas prendre de risques et le meilleur moyen de pas prendre de risques, c'est dc suivre les autres. L'être humain il a un neurone pour ça, un neurone qui lui dit *si tout le monde le fait, c'est que ça doit être bon pour moi*. L'homme a horreur du vide, il a qu'une peur, c'est se retrouver seul face à lui-même, face à sa pauvre condition. Alors on lui fabrique un tas de trucs pour qu'il soit accompagné en permanence, la téloche, Internet, le portable... Personne va dans un endroit vide, mon gars. Entrer dans un commerce vide, c'est comme se jeter du haut d'une falaise. On a besoin de sentir la connerie humaine à proximité, c'est une chaleur qui rassure...

Il attrape une boîte de raviolis et la fixe cinq secondes.

— Merde, je sais plus si je dois prendre ça, je crois qu'ils ont pas renouvelé le contrat.

— Et euh... je voulais vous demander aussi... est-ce qu'il vous est déjà arrivé de... d'approfondir une relation avec un client ou une cliente par exemple ?

Il suspend son geste et me lance un regard suspicieux, la boîte de raviolis dans la main.

— Toi mon gars, t'es sur le point de faire une boulette...

— Ah non non non, ce n'est pas du tout ce que vous pensez. C'est juste que j'ai sympathisé avec un employé et... Aurait-il le droit de me voir en dehors de ses heures de travail ?

— En dehors de ses heures de travail, même chez Figurec, on fait ce qu'on veut. C'est à *elle* seule de décider. Mais fais gaffe à ça mon gars, fais gaffe à ça, une employée, c'est une employée. T'amuses pas trop à mélanger fiction et réalité. À ce petit jeu, j'en ai vu quelques-uns se défenestrer.

# 45

## *Acte I*, scène 1

*Épitaphine et Jean-Certain jouent aux échecs.*

Épitaphine : Échec et mat, mon cher !
Jean-Certain : Flûte ! Je n'ai pas la tête au jeu.
L'arrivée de Pierraliste me tracasse…

— ... et quand je dis défenestrer, c'est pas une image. Un gars pas plus vieux que toi qui est allé s'aplatir comme une crêpe bretonne cinq étages plus bas.

Le serveur nous apporte notre petit salé aux lentilles et un litre de rouge. Il a coupé ses cheveux et semble fier de son nouveau look.

— Ne vous faites pas de souci pour moi, j'ai la tête sur les épaules.

— L'autre aussi l'avait sur les épaules, maintenant il l'a dans la cage thoracique. Enfin bon, pour ce que j'en dis, t'es majeur et vacciné. Alors dis-moi, c'est qui cette perle rare ?

— Tania, une fille très gentille qui vient manger chez mes parents plusieurs fois par semaine.

— Une active ? Y en a qui ont les moyens... Et elle vient en tant que quoi ?

— Euh... Ma petite amie...

— Ben voyons. À part ça tu gères et t'as la tête sur les épaules. Pauvre idiot... En plus je te parie que t'es allé chercher le genre idéal, le genre dont tu peux plus te passer après deux séances... Je t'aurai prévenu, ces plans-là, c'est pire que l'héroïne. En plus y'a pas de sevrage contre le virtuel. Le seul remède, c'est le réel, et quand ton réel est pourri, t'as plus qu'à débourser tous les jours un peu plus pour avoir ta dose de Daria.

— Tania.

— Tania, Daria, Germaine, Paulette, qu'est-ce qu'on s'en fout puisque c'est sûrement pas son prénom, c'est toi qui as choisi je suppose. (J'acquiesce, tête baissée.) Tania... Pourquoi pas Orgasma tant que t'y étais... Enfin bon, je m'emporte mais après tout, c'est pas mes affaires. J'ai juste peur que tu pètes les plombs.

Sa sollicitude quasi paternelle me touche sans vraiment m'inquiéter. Je connais parfaitement mes limites. Nous mangeons un moment dans un silence à peine griffé de nos mastications grossières.

— Au fait, t'as fait des recherches sur tes aïeuls ?

— Pas encore.

— Tu devrais. Plus je pense à ton cas et plus je me dis que c'est pas une erreur et que t'as le sang qu'il faut pour Figurec. Tiens, je serais même pas étonné que t'aies eu droit à une ristourne pour Orgasma.

— Une ristourne ? Ce que je paye ne ressemble pas tellement à une ristourne...

— Eh ouais mon gars, c'est un choix. Fallait faire croire à tes vieux que ta copine est sourde et muette et tu passais pas dans la tranche *active*.

# 47

L'ambiance chez Claire et Julien se fait de plus en plus moite. L'ombre du type à la lettre plane en permanence au-dessus de la table comme un gros nuage noir. Je réalise que Julien aussi a son Laurent Bonnet et le sien s'appelle Henri. Finalement, peut-être que tout le monde a son Laurent Bonnet. C'est idiot mais ça me rassure. Il a beau me faire écouter *Mise au point* de Jakie Quartz, le cœur n'y est pas. Même la liqueur de fruits de mer se révèle différente, un arrière-goût de rite forcé. Du coup, nous ne discutons pratiquement que de ma pièce, sujet neutre qui permet de parler sans trop réfléchir. Sauf pour moi, qui suis obligé de broder, confectionner des canevas à la chaîne.

— C'est toi qui décides des acteurs ?

— Disons que j'ai mon mot à dire sans toutefois... enfin il y a aussi une dame, très gentille au demeurant qui... je ne peux non plus m'occuper des différents... pour les acteurs, c'est... une espèce d'agence de casting en moins... disons

qu'elle cherche selon des critères qui sont plutôt... en fait des directives que j'ai préalablement
données en fonction de...

Ce genre de réponses brouillonnes et évasives
que personne n'écoute.

Il vaudrait mieux que je recommence à manger chez moi, au moins jusqu'à ce que le cas
Henri se tasse. Je suppose qu'un minimum d'intimité ne leur ferait pas de mal pour régler leurs
petites affaires. Sans compter que je ne sais vraiment plus quoi raconter au sujet de ma pièce.

# 48

Je profite d'une discussion passionnante et passionnée entre mon frère, Anna et Tania pour rejoindre ma mère dans la cuisine. Pendant qu'elle découpe le rosbif avec un grand couteau de tueur en série, je me poste à côté d'elle, silencieux. Trop silencieux. Je n'y arriverai jamais.

— Cette enfant est charmante, tu es tombé sur la perle rare.

Proposition à sens unique qui sous-entend : pas elle. Je ne relève pas, j'ai autre chose à faire, il me reste environ huit tranches pour gagner deux mille euros.

— Ton père aussi l'aime beaucoup, je ne sais pas si c'est elle ou la pêche à la ligne mais…

— Est-ce que tu pourrais m'avancer un peu d'argent ?

Ma mère suspend son geste. Durant quelques secondes, il me semble qu'elle va me trancher la carotide avec sa lame XXL. Je prends une pomme dans la corbeille à fruits et la croque de manière nonchalante pour me donner une contenance. Ce qui accentue le décalage étant donné que nous venons à peine de terminer l'entrée.

— Tu as des problèmes ?

— Ah non non, pas du tout, c'est juste que tu sais ce que c'est, le financement d'une pièce... Il faut toujours avancer de sa poche deux trois trucs à droite à gauche avant de toucher le chèque de subvention. Rien de bien méchant, c'est l'histoire de quinze jours maximum et je te rends ça.

— Combien te faut-il ?

— Deux mille euros.

— Deux mille... C'est une somme... Bon, attends que j'en aie fini avec le rosbif et je te fais le chèque. Tu me le dirais si tu avais des problèmes, hein ?

— Enfin maman, rien n'a jamais aussi bien roulé pour moi.

Elle laisse progressivement glisser son visage inquiet vers un sourire doux et débordant de fierté maternelle. Puis elle se remet à couper ses tranches avec minutie et application, comme tout ce qu'elle a fait dans sa vie, si tant est qu'on puisse parler de *vie* quand on a toujours tout fait avec minutie et application.

Quand nous revenons à table, la discussion est encore très animée. Tania est réellement une virtuose, elle insufflerait la vie à n'importe quel débat mort-né, maintiendrait en état de veille la plus comateuse des discussions, à l'aide d'un savant mélange d'érudition et de psychologie chirurgicale. Chaque question, ou chaque réponse, semble pesée avec une précision d'orfèvre. Je ne regrette pas les deux mille euros dont je viens de m'endetter pour allonger son temps de travail à mon service. Si avec ça je ne lui deviens pas aussi important, sinon plus, que Laurent Bonnet, c'est à douter du pouvoir de l'accoutumance.

Mon père essaie d'insérer ses connaissances sur la truite saumonée au milieu d'un débat philosophique mais se fait ramener sur la plage par les vagues trop fortes, le nez dans le sable. J'ai pitié de lui. Du moins, c'est ce que je crois : au fond, j'ai pitié de moi plus tard.

# 49

Ce qu'il me manquait, c'est un peu d'intimité. J'ai donc acheté une heure de plus après les repas pour aller prendre un dernier café dans un bar. Les deux mille euros serviront, notamment, à cette rallonge. Quant à savoir comment je vais rembourser cette dette : autruche.

Tania pose sa veste sur le dossier de la chaise et son paquet de cigarettes sur la table. Je commande deux cafés sans même lui avoir demandé, impair de phallocrate, impair de patriarche. Elle allume une cigarette, crache la fumée par les narines.

— Nous attendons quelqu'un ?

— Non non, pas spécialement. C'est juste une heure de pure détente, pour souffler après l'épreuve du repas.

— Votre frère est quelqu'un de très intelligent.

— Oui, c'est lui qui l'a eue. Mais je n'ai pas à me plaindre, j'ai eu des orteils magnifiques, les siens sont mal fichus.

Son petit rire bouche fermée très naturel. Je décide d'attaquer le chapitre Laurent Bonnet, il faut que j'en sache plus. Il y va de ma santé.

— Et votre... autre client dans mon genre, ça fait longtemps qu'il vous a engagée ?

— Secret professionnel, désolée. Vous savez comme moi que le secret est le paramètre essentiel au bon fonctionnement de Figurec. Et vous savez aussi que l'enfreindre constitue le plus grave des délits, donc...

Elle mime une fermeture éclair qui lui coud les lèvres.

— Imaginez que je dévoile des choses sur vous à mes autres clients...

— J'en serais flatté.

— Ne croyez pas ça. Laisser les sphères intimes aussi propres qu'on les a trouvées en entrant, telle est notre devise.

— Ou aussi sales.

— Ou aussi sales, vous avez raison. Quoi qu'il en soit, on ne touche à rien. Nous ne sommes ni des psys ni des assistantes sociales. On vient, on est là, et puis on repart, en essayant de ne pas laisser de traces.

Ce en quoi, ma Tania, tu as complètement raté ton coup.

Elle boit son café du bout des lèvres, des lèvres fines et admirablement dessinées. D'ailleurs, tout dans sa personne dégage cette impression de finesse, jusqu'au moindre geste de ses doigts sur la cigarette, comme si elle la caressait pour s'excuser de la consumer. De temps à autre, elle replace sa mèche châtain derrière son oreille et, même si toutes les filles ont une mèche prévue pour ça, son geste à elle est unique, il est...

— Vous m'avez apporté votre manuscrit ?

Je savais que j'avais oublié quelque chose.

# 50

Alors que je rentre chez moi encore tout rempli de Tania, j'ai cette vision. Là, à une dizaine de mètres de moi, à travers la vitre d'un bar enfumé, Claire a sa main posée sur la main d'un homme qui n'est pas Julien – ils se regarderaient amoureusement si *se regarder amoureusement* avait un sens précis.

Claire a l'air épanoui. Voir cette expression sur son visage revient à voir la résignation sur le visage de mon frère – ou une étiquette de mouton-rothschild sur une bouteille de soda.

Quant au type – *Henri ?* – non seulement il ne ressemble pas à Julien, mais il y a de grandes chances pour qu'il n'ait jamais entendu parler de Marc Toesca et de *Partenaire particulier*. Henri a la cinquantaine tempes-grises/fitness-club, un costume anthracite et des yeux bleus, d'un bleu débordant de condescendance et de désir de domination.

Dès lors, Tania cède la place dans mon esprit à cette scène traumatisante, le mot n'est pas trop fort. Quelle position dois-je adopter ? Quelle est la réaction la plus saine dans ce type de situation ? Dans quel camp est-ce que je choisis de me situer ? Car c'est bien de cela qu'il s'agit et rien d'autre. J'ai plus d'affinités avec Julien, c'est un fait. Toutefois, je ne dois pas raisonner en terme de préférence individuelle, la priorité étant pour l'heure de sauver leur couple. Je ne dois pas agir à la légère. Le moindre faux pas les précipiterait irrémédiablement dans l'abîme et, par un effet de dominos évident, moi avec.

Je choisis la prudence et décide de ne rien dire à Julien. Après tout, peut-être que Claire a prévu de lui en parler elle-même et attend le moment opportun – à supposer qu'il existe des moments opportuns dans ce type de situation.

Claire. Qui aurait cru ça d'elle ? Et pourtant. Je ne vois pas pourquoi elle aurait été plus apte qu'une autre à accepter la médiocrité de son existence. J'ai été surpris parce que Claire n'a jamais rien manifesté de ses frustrations, au fond ça aurait dû me mettre la puce à l'oreille : ceux qui se taisent sont ceux qui agissent. Il faut toujours se méfier des gens qui ne se plaignent pas.

J'ai rendez-vous demain midi avec Julien, j'espère qu'il ne lira pas sur mon visage comme dans un livre…

# 51

— ... ouvert les veines, tu entends, elle m'a ouvert les veines, je m'en relèverai pas, c'est sûr, comment veux-tu que je surmonte ? Je suis pas un battant moi, je suis pas un battant...

Il s'écroule en larmes sur la table, j'écarte de justesse son café refroidi. Je regrette de le lui avoir dit, je ne sais pas ce qui m'a pris. Tout ce que je trouve à faire maintenant, c'est lui masser l'omoplate en lui répétant que les choses vont s'arranger sans parvenir à y mettre l'intonation qu'il faut. Il a accusé la nouvelle beaucoup plus violemment que je ne l'aurais cru. Moi qui pensais qu'il avait des doutes sérieux et que ça ne le surprendrait pas outre mesure, finalement un doute c'est encore quatre-vingt-dix-neuf pour cent d'espoir.

Il ressort d'un coup le visage d'entre ses bras, il a les cheveux en vrac, des larmes plein les yeux, il pue la tristesse, un vrai chien de bord de route.

— Alors il est comment ce type ? Tant qu'à faire, autant que je sache à quoi il ressemble.

— Je crois que ça te rassurerait de le voir.

C'est l'homme d'affaires sur le retour, le genre de type sur qui les filles se jettent pour retrouver leur père. À mon avis Claire nous fait juste un petit Œdipe à retardement, le style de fantasme qui dure un mois, pas plus.

Je suis assez fier de mon improvisation qui semble le calmer franchement. Il essuie ses larmes avec sa manche.

— Tu crois ?

— J'en suis certain. Laisse-la aller au bout de son processus et elle te reviendra flambant neuve.

Il reprend progressivement ses esprits, fixe la table pendant quelques secondes, puis attrape son café et le boit comme s'il était encore bon.

— Tu sais, je devrais pas être surpris qu'elle aille voir ailleurs… Qu'est-ce que je lui ai proposé de vraiment exaltant ?… Je comprends qu'elle ait un peu paumé ses idéaux avec moi, je suis pas tout à fait l'archétype du prince charmant que les fillettes attendent… Ma Claire, ma pauvre Claire… Durant ces années je n'ai été qu'un énorme et monstrueux estomac sans faim qui a digéré tes rêves comme de vulgaires biscuits apéritifs… J'ai tout réduit en une bouillie informe, tout ça pour remplir goulûment mes jours vides… Pauvre pauvre pauvre con…

Je ne sais pas quoi répondre. Peut-être ne dois-je rien répondre, puisqu'il ne m'a rien demandé. Je me contente de commander deux nouveaux cafés d'un index discret à l'adresse du serveur.

[FIGLITÉ]

# 52

— UN PAS EN AVAAANT, DEUX PAS EN ARRIÈÈÈRE, C'EST LA POLITIIIQUE DU GOUVERNEMENT...

Bouvier s'en donne à cœur joie. Il brandit une banderole qui lui est tombée par hasard entre les mains, une banderole du SENF (Syndicat des enseignants non fumeurs) et l'agite dans tous les sens comme un gosse qui découvrirait la fonction du hochet, hurlant des slogans de sa voix puissante et déjà vaguement éraillée par le vin – contrairement à ses remarques bruyantes au milieu des enterrements, ici ça passe totalement inaperçu.

— J'adore les manifs de profs, ça me rappelle 68. Dire que je devrais être entre les rayons en ce moment à pousser mon caddie comme un con...

— Au fait, c'est vrai, comment se fait-il que vous n'y soyez pas ?

— Chaque année, à peu près à la même époque, pas mal de Figurec sont recrutés pour venir faire les manifs de profs. C'est un extra que tout le monde attend avec impatience, mais tous ne sont pas choisis, c'est lié à l'ancienneté. C'est un peu notre kermesse de fin d'année à nous.

— Vous voulez dire que Figurec est massivement présent en ce moment ?

— Massivement ? C'est rien de le dire. Y'a autant de vrais profs ici que d'hétéros à la Gay Pride.

Un type à côté de moi hurle dans un mégaphone que les premières victimes sont nos enfants, il arbore sur son blouson un énorme autocollant rouge SESOPSPM (Syndicat des enseignants sans opinion particulière sur Philippe Meirieux). Il semble réellement révolté, rien à voir avec le ton rigolard de Bouvier. En voilà un qui ne vient pas de Figurec.

— Et qui paye tous ces employés ?

— Ah, ça mon gars, c'est mystère et boule de gomme. La rumeur court qu'il se trouve toujours un roquebruniste dans l'opposition pour financer la manif annuelle mais personne sait vraiment.

Devant nous, un homme et une femme discutent assez violemment, lui est du SEAFFJ (Syndicat des enseignants adhérant à la fédération française de judo) et elle du SEDV (Syndicat des enseignants diabétiques et végétaliens). Visiblement ils ne sont pas tout à fait d'accord sur un point précis des revendications. Finalement, un type avec un bouc et des lunettes, du SEPVSELC (Syndicat des enseignants pour la vaccination systématique des enfants du Loir-et-Cher), s'interpose et finit par les calmer.

— Les manifs de profs, ça vaut quand même pas les manifs de routiers... Qu'est-ce qu'on a pu se marrer avec les routiers, à se saouler en bouffant des merguez... Encore mieux qu'à la fête du parti communiste... Ces gars-là ont un humour terrible – les routiers, pas les communistes... Avec les profs, c'est pas pareil... C'est que des coincés... Le seul truc qui les excite c'est les 1er Mai qui tombent un vendredi alors tu penses s'ils doivent se poiler tous les jours...

Un type se retrouve à côté de nous, un grand maigre avec une banderole SENPYY (Syndicat des enseignants nostalgiques de la période yé-yé), il nous tend la main avec un large sourire.

— Salut camarades. Jean-Paul Montels, prof d'histoire.

— Salut camarade. Bouvier, abrégé de lettres.

— Vous voulez dire *agrégé*...

— Non non, abrégé. J'ai été viré en troisième.

## 53

Voilà aujourd'hui une semaine que je n'ai pas revu Claire et Julien. J'ai préféré prendre du recul afin qu'ils puissent démêler leur affaire. Ça fait un tantinet *je fous le bordel et je vais me planquer* mais je crois que c'est mieux pour tout le monde. Libre à eux de me recontacter quand ils y verront plus clair.

Depuis une semaine donc, j'ai dû réapprendre à manger chez moi, dans ce studio aussi convivial qu'un poisson mort, si accueillant qu'on en vient à apprécier de marcher des heures au hasard de rues désertes et grises, la peau craquelée par le froid de décembre.

Cependant, je le vis mieux que prévu, Tania occupant la plupart de mon temps. Une infime partie de la journée en chair et en os, le reste en pensée. Tout est si facile quand quelqu'un vous obsède. Autour de moi le monde glisse lentement vers sa déchéance ultime, s'effrite comme un morceau de charbon, moi je traverse la vie affublé d'un masque de clown hilare.

Je commence à bien aimer mes jours, on s'attache vite à la routine. Chez moi, le soir, je dresse la table pour deux personnes, mets des raviolis dans l'autre assiette mais n'y touche pas. Quand on a toujours mangé ses raviolis froids à même la boîte, passer à l'assiette constitue un signe d'évolution morale non négligeable.

Parfois, Tania-la-chaise-vide et moi prenons un verre de vin blanc en apéritif tout en parlant théâtre. Je lui soumets d'éventuels remaniements que je souhaite apporter à la pièce, elle acquiesce, trouve ça formidable, nous nous regardons tendrement. Et puis nos fous rires quand, fin saoul, je renverse la bouteille sur la moquette.

Seule ombre au tableau : dans mes chutes de tension, à travers le prisme de mon verre, je vois l'état de mes finances dans l'infrarouge. J'ai déjà du retard dans les derniers paiements et l'argent de ma mère fond dangereusement. Nous en sommes à trois heures de Tania quasiment quotidiennes maintenant – le repas chez mes parents et le café dans un bar – et la perspective de devoir lever le pied me mine complètement. Quant à ponctionner ma mère à nouveau, hors de question. Je ne compte pas gâcher le peu de dignité que j'ai retrouvé, elle m'a coûté assez cher pour je ne la saborde pas maladroitement.

Reste la possibilité d'emprunter à mon frère, il doit bien posséder un petit pécule, mais emprunter de l'argent à un frère cadet est un haut symbole d'échec social. Qu'importe que nous n'ayons qu'un an d'écart, les symboles ne s'embarrassent pas de chiffres.

Donc pour l'instant, j'occulte. J'attends seulement le moment de la journée où elle va apparaître au coin de la rue, guignol léthargique qui attend sa main.

## 54

Nous sortons tout revigorés du cimetière, ce Jacomond était vraiment exceptionnel. J'avais déjà fait un Jacomond mais c'était un jour de pluie, je m'étais donc abstenu de juger hâtivement une cérémonie un peu bâclée.

— Cette Jacomond, quelle femme de tempérament ! Je me demande qui va la baiser maintenant, quel gâchis.

Bouvier souffle dans ses mains pour les réchauffer, manifestement fier de m'avoir entraîné ici aujourd'hui.

— Décidément, c'est une bonne semaine pour moi... Je t'ai dit pour les extras ? Cette semaine, on m'a contacté deux fois pour des extras assez sympa. Remarque, tout est sympa par rapport au supermarché. Lundi, c'était un congrès sur les espèces marines en voie d'extinction, la journée à dormir au fond d'un amphi... Et mercredi, grosse promotion, un vote à l'Assemblée. Il me suffisait de lever la main au hasard de temps en temps, sinon c'était aussi séance pionçage.

Ça m'a permis de récupérer. Dans les rayons, mine de rien, j'en abats des kilomètres... Le plus important là-dedans, tu vois, c'est que j'ai l'impression que ça décolle, on apprécie mon boulot et ça, ça fait chaud au cœur... Je me fais pas d'illusions, je sais que ça ira pas jusqu'aux yachts amarrés à Saint-Trop', mais j'ai l'impression qu'on me propose de plus en plus d'intérims de qualité...

— Content pour vous.

— Et toi, comment ça va avec Clitoria ?

— Admirablement. Même si je commence à sérieusement paniquer quand je découvre des prospectus dans le...

# 55

... courrier, c'est bien connu, est un traître en puissance et Figurec ne peut pas se risquer au moindre faux pas. Aussi les factures arrivent-elles de diverses manières, la plus courante étant la lettre glissée au milieu d'un prospectus sous plastique de promotion de grandes surfaces – selon Bouvier, encore un procédé publicitaire à moindre coût pour les firmes. On se doute que Figurec ne peut pas se permettre d'envoyer des factures dans de simples enveloppes, a fortiori des enveloppes à en-tête Figurec. Chaque client est parfaitement mis au courant avant le premier règlement, il sait parfaitement qu'il ne doit jeter aucun prospectus avant de l'avoir bien détaillé. Ce qui signifie que les retards de paiements justifiés par des *oh mince, la facture devait être dans un courrier que j'ai mis à la poubelle* sont immédiatement rejetés et même parfois sévèrement sanctionnés – jusqu'à vingt pour cent de taxe en sus.

C'est déjà la plaie pour le commun des

mortels de découvrir sa boîte aux lettres bourrée de prospectus, ça l'est doublement pour le client de Figurec.

Sans compter que les mauvais payeurs se voient progressivement supprimer certains services ou options. À partir de deux retards de paiement, non seulement vous payez la taxe, mais on peut vous supprimer par exemple l'option boute-en-train pour un figurant de mariage. (Si vous vous rendez dans un mariage où tout le monde fait la gueule, c'est que le marié est un mauvais payeur – ou alors que les cadeaux demandés par les mariés dans la liste étaient abusivement hors de prix mais ça c'est un autre problème.)

À la manière du système judiciaire, Figurec n'hésite pas à vous ouvrir un...

... casier vermoulu qui me tient lieu de boîte aux lettres.

— Tout se paye mon gars, tu peux pas t'afficher avec une fille hors de portée sans y mettre le prix. Tiens, si tu m'avais loué à la place de ta starlette, sûr que tu banquais dix fois moins.

— Sans vous offenser, je doute que mes parents eussent rêvé de la même manière...

... et puis Tania et moi avons largement dépassé le stade du rapport employé/client, mais ça je le garde pour moi.

Mon jardin secret : nos repas du soir en tête à tête, nos discussions sans fin sur des détails qui endossent une dimension métaphysique à mesure que les verres se vident, nos fous rires sur le canapé, ses yeux verts plantés dans la moquette quand je lui enlève un cheveu sur l'épaule, notre complicité grandissante chez mes parents et plus globalement au milieu du

monde, nos doigts qui se frôlent accidentellement – petits accidents prémédités.

Bouvier ne sait rien de tout ça. Pour lui Tania
est une employée comme les autres. Il est loin
de se douter de ce qui s'est installé entre nous.

## 57

C'est une matinée à la fraîcheur subtile qui me cueille alors que je sors de mon immeuble. J'adore cette partie du mois de décembre. Je reste un instant sur les marches, immobile, à humer l'air, à gonfler mes poumons comme si l'atmosphère n'était pas complètement viciée par les gaz d'échappement.

À quelques mètres devant moi, un employé de la municipalité est en train de balayer le caniveau. Je me demande ce qu'il peut trouver à balayer, cette période hivernale transpire le dénuement, l'épuration la plus primitive. Il traque avec une application chirurgicale le moindre emballage de bonbon, le moindre kleenex morvé, la moindre capsule de bière.

C'est assez rare pour le souligner : je me suis bien réveillé, très zen, très particule de l'univers. *Très je suis au monde qui est en moi.*

Il me semble que le type m'observe en coin. Je m'approche de lui, son regard timide, par en dessous, mendie un peu de compagnie. J'engage la discussion tant bien que mal, mais plutôt mal : comme le sauvage que je suis qui n'a rien de particulier à dire aux quelque six milliards d'autres sauvages vivant autour de lui.

— Vous n'avez pas trop froid aux doigts ?

— Ouais, ça s'est carrément rafraîchi ces derniers jours.

— Je crois qu'ils ont prévu une amélioration.

— Pas si vous continuez à oublier d'honorer vos factures.

— Pardon ?

— Vous avez trois traites de retard, c'est très contrariant. Je suis désolé de vous annoncer que si vous n'avez pas tout payé d'ici demain, la maison se verra dans l'obligation d'engager un processus de rupture de contrat. Ce qui implique certaines poursuites et, vous vous en doutez, quelques désagréments pour vous.

— Des poursuites ? Mais... écoutez, j'ai eu des contretemps. Dorénavant ça va aller mieux, je... je vais vous payer, c'est une question de jours. Laissez-moi quelques... attendez, Tania viendra quand même aujourd'hui ?

— La prestation est encore assurée aujourd'hui. Cela dit, il est bien évident que si rien ne vient d'ici demain, la première étape de la poursuite se verra instaurée : suspension immédiate de nos services.

— Vous ne pouvez pas nous faire ça !

— Bonne journée monsieur.

Je le regarde s'éloigner avec son balai et son espèce de poubelle sur roues. Si j'étais dans un film, en possession d'un Magnum 357, je lui dégommerais probablement la tête d'une balle dans la nuque. Un crachat de sang viendrait asperger le trottoir et son corps tomberait comme un sac de sport jeté sur un banc de vestiaire dans un petit bruit sourd et inutile – *tchouf.*

Mais je suis là, dans la vraie vie – et la vraie vie ne veut pas me lâcher.

# 58

Je tente désespérément de cacher mon humeur maussade en souriant à tort et à travers. Ma mère a préparé une raclette, tout paraît plus gai autour d'une raclette. Je note pour la première fois que Tania et Anna ont noué une complicité particulière, complicité de filles belles, légèrement empreinte de sexualité, comme il s'en noue aussi entre les très moches – mais peut-être est-ce là un vieux fantasme de phallocrate qui aime voir des lesbiennes partout.

À ma morosité vient s'ajouter une certaine angoisse : dès l'instant où j'ai pris la décision de voler de l'argent dans le portefeuille de ma mère, une bille en plomb est venue se loger au fond de mon estomac. Et autant dire que la raclette n'arrange rien.

Mon père a pêché un sandre de sept kilos, c'est l'information prédominante de ce repas. Il l'a laissé chez un ami, d'où l'incrédulité bon enfant de mon frère qui lui répète qu'il a tort de boire avant de partir à la pêche, ça commence par des hallucinations et ça finit à l'hospice, ce genre de choses assez drôles.

Tania a l'air de franchement s'amuser. De temps à autre je l'observe et une vague de tristesse m'engloutit tout entier. Et je me dis que c'est absurde, que si je n'ai plus les moyens de payer, nous continuerons à nous voir, forcément, on ne détruit pas une telle relation pour un retard de paiement. Alors je parviens à sourire. Mais cinq minutes après, ça revient. Repas montagnes russes, montagnes russes *cheap* des fêtes foraines de villages – où les bas sont très bas et les hauts à peine moins bas.

J'attends le moment opportun pour m'éclipser dans la cuisine. J'ai prévu d'aller chercher moi-même le saint-honoré mais j'ai peur de ne pouvoir patienter jusque-là. Cette raclette est interminable. Ce moment convivial se transforme vite à travers le filtre de mes idées noires en une bacchanale décadente et obscène. M'apparaît cette image d'un vieil album d'Astérix où les participants à une fondue pataugent gaiement dans leur fromage, et c'est l'envie de vomir qui m'inspire une échappatoire habile.

— Il te reste du Maalox ? Je crois que j'ai un peu abusé, je me sens ballonné.

Ma mère me répond qu'il y en a dans le placard de la cuisine, ce que je savais déjà. Un instant, je crains de casser l'ambiance, mais non : quand vous êtes en train de vous empiffrer, l'univers peut bien éclater comme un vulgaire ballon de baudruche. Instant hors du temps, tête-à-tête intime avec nos sucs gastriques. L'univers peut bien éclater, alors mon estomac...

Dans la cuisine, j'ouvre et ferme des tiroirs de manière un peu aléatoire. Je sais que ma mère garde en permanence une réserve en espèces à portée de main, *au cas où* – manie d'anciens pauvres. Je tombe sur le tiroir fourre-tout, plein à craquer de petits riens, grande réserve d'inutilité. Je fouille épileptiquement. Stylos sans capuchons, rouleaux de scotch, bons d'achat en tout genre, lettres avec clé factice de voiture collée dessus, cartes de membre à diverses associations, photos jaunies de mon frère et moi nous éclaboussant dans une piscine gonflable, articles de journaux découpés, diplôme de la meilleure maman du monde, collier de perles toc, prospectus de La Redoute, recette du bœuf mort bourguignon notée sur une feuille de brouillon, lettre d'une tante de Rennes, tournevis, morceaux de papier-cadeau récupérés d'un ancien Noël et soigneusement pliés.

C'est alors que je tombe sur une lettre qui me gifle littéralement le visage. Je frôle le malaise en découvrant le logo. Ma vue se brouille, je dois m'arrimer au bord du meuble pour ne pas m'écrouler.

— Tu as trouvé le Maalox ?

Ma mère entre, je referme le tiroir violemment, si violemment que je me coince un doigt.

Mais je n'ai pas mal. J'ai trop mal à la réalité pour avoir mal au doigt.

La fin du repas se fera pour ma part dans un flou total même si je tente autant que possible d'assurer un minimum de présence, en levant mon verre avec les autres, en riant quand j'entends des rires ou en répondant – à côté – à des questions qui semblent m'être destinées.

Le retour en voiture est tout aussi flou. Seul moment de lucidité – et de grand désarroi – Tania, juste avant de nous séparer.

— Bon alors à demain ?

— Je ne sais pas... On m'a mise au courant de vos problèmes financiers... Ils doivent me téléphoner demain matin pour me dire ce qu'il en est. Je suis sincèrement désolée... J'espère que ça va s'arranger.

Et elle descend de la voiture. Et elle s'en va. Et je la vois disparaître, impuissant. Et je ne lui ai rien dit. Et je ne lui dirai peut-être jamais plus rien.

## 59

— Allons, reprends-toi mon gars, vois le côté positif : enfin un mystère élucidé.

— Vous appelez ça un mystère élucidé ? Je viens d'apprendre que mes parents ont une double vie dont je ne sais rien et vous appelez ça un mystère élucidé ?

— Allons, tu sais très bien de quoi je veux parler. Tu es au moins fixé sur la raison de ta présence dans la clientèle de Figurec. Dis-toi que sans tes vieux, tu finissais à six pieds sous terre…

J'avale d'un trait mon troisième ballon de rouge. J'ai chaud. J'ai chaud ou c'est tout ce qui n'est pas moi qui est froid, froid et hostile.

— Bon, et qu'est-ce qu'elle disait cette facture ?

— Je n'ai pas eu le temps de lire, ma mère est entrée à ce moment-là…

— Je comprends pas pourquoi t'es à ce point démonté… Tu le savais que quelqu'un dans ta famille était ou avait été client chez Figurec…

Bon, il se trouve que c'est tes parents, c'est pas si dramatique...

— Pourquoi ne m'en ont-ils jamais parlé ? C'est de le découvrir ainsi qui m'a traumatisé. Et surtout, quels types de services est-ce qu'ils demandent ? J'ai beau faire preuve d'imagination, je ne vois pas en quoi mes parents auraient besoin de Figurec. Et puis il n'y a pas que ça... Sale journée... Je crois que j'ai définitivement perdu Tania...

— Comment ça ?

— Problèmes d'argent, ils ne veulent plus honorer ma commande...

— Merde... Combien tu dois ?

— Environ mille sept cents euros. Si j'en donne une partie avant demain, je peux espérer les calmer et retarder la rupture définitive de contrat et les poursuites... Mais pas retrouver Tania de sitôt, ça c'est sûr.

Bouvier donne de petits coups de couteau dans sa saucisse en frottant sa barbe naissante puis, avec la pointe de la lame, il essaie de faire entrer une lentille dans chaque trou. Nous restons quelques minutes ainsi, en silence, lui dans ses trous de saucisse, moi dans mes trous existentiels.

— Mille, je peux pas plus.

— Pardon ?

— J'ai trois ronds de côté, pas grand-chose... Pour te dépanner, je peux t'en prêter mille aujourd'hui. Attention, à une condition : c'est pour payer ta dette, rien de plus, t'arrêtes les commandes pour le moment, je tiens à revoir mon fric. Essaie pas de me truander ou je te ferai regretter la punition de Figurec...

Je suis si ému que je ne parviens pas à articuler le moindre son. Je me contente de lui sourire.

## 60

Je sais qu'elle ne viendra pas, pourtant je suis là. Même bar, même table, comme un vieux chien errant qui vient se poster tous les matins devant la porte de son maître mort. L'heure du rendez-vous habituel est passée de dix minutes. Une partie de moi attend patiemment, s'inquiétant vaguement de ce léger retard. Une partie de moi qui ne veut pas croire que Tania n'était qu'une employée de Figurec.

Outre un profond chagrin qui ne me quitte plus, je suis tiraillé par une angoisse d'ordre plus superficiel quoique non négligeable : qu'est-ce que je vais dire à ma famille pour justifier l'absence de Tania ? Que je n'avais plus les moyens de la payer ? Dans moins d'un quart d'heure, ma mère va m'accueillir sur le palier avec ce regard interrogatif, voire inquisiteur, qu'elle avait chaque fois que je revenais de mes examens admirablement ratés.

De temps à autre la porte du bar s'ouvre et

mon cœur bondit. Mais elle ne s'ouvre que pour laisser entrer un humain banal, un non-Tania. Et un courant d'air froid qui me glace les os.

L'heure du repas approchant dangereusement, je finis par capituler. Je me lève et traverse la salle dans un état abstrait. Le serveur ne me salue pas, il a des verres à essuyer. Et on ne salue pas un mort vivant. Sur le chemin, je tente de rassembler mes esprits afin de dénicher une explication imparable qui ne susciterait pas une rafale de questions inquiètes et suspicieuses. Qu'est-ce qui explique une absence en général ? Qu'est-ce qui peut justifier que celle que vous aimez n'est pas là ? À peu près tout, finalement. C'est le contraire qui est exceptionnel. Je repense subitement à une théorie que m'avait expliquée mon frère – probablement vulgarisée à l'extrême pour l'occasion. L'hypothèse d'un certain Heisenberg selon laquelle la matière n'est finalement qu'une probabilité de présence d'atomes. En fait, elle est surtout absence. Au fond, la présence est un accident, c'est elle qu'on devrait avoir à justifier et non le contraire. Cela dit, je me vois assez mal invoquer Heisenberg quand ma mère ouvrira la porte avec son tablier *N'engueulez pas le patron la patronne s'en charge*.

La présence comme accident. Accident merveilleux, certes, mais…

# 61

... accident de rollers ? Elle ne nous avait pas dit qu'elle faisait du roller...

— Ben, justement, elle débutait... Elle a voulu se lancer dans une pente et crac, entorse avec déchirure des ligaments internes. Elle est clouée sur son fauteuil pour un moment.

Je serais bien incapable de déterminer l'origine de cette justification fumeuse. L'inconscient est une arrière-boutique qui regorge de pannes de réveil, de grippes foudroyantes et d'accidents de roller, stock insatiable d'alibis sous cellophane. En l'occurrence le roller a l'air de passer.

Tout le monde affiche une ostensible déception de me voir seul. Ça faisait quelque temps que je n'existais plus pour eux en tant qu'individu mais en tant qu'ombre d'individu. J'étais celui qui amenait Tania. Ambiance rentrée scolaire quand on apprend que le boute-en-train de la classe a changé d'établissement.

Le repas est d'une morosité étouffante, nous avons l'impression de veiller un mort – et je suis le seul à savoir que c'est le cas : nous veillons la mort de Tania. Retour au coma pour mon père, au pessimisme plombant de ma mère, retour du monopole flamboyant d'Anna en tant que sculpture de table, seul mon frère, caméléon bloqué au rose bonbon, reste le même. Tout lui glisse dessus comme l'eau sur les plumes d'un canard, rien ne semble jamais l'affecter. Le jour où il mourra, fût-ce à cent dix ans, ce sera une énorme surprise pour tous.

— Allez ça va, vous pouvez parler, une entorse ça métastase assez rarement... Alors papa, c'était quoi ce matin, un brochet ? Une baleine bleue ? Un sous-marin russe ?

Malgré sa bonne volonté, il ne parvient pas à dérider mes parents qui ont pris vingt ans en l'espace d'une heure. On mesure l'importance des choses au malheur qui accompagne leur absence. Je réalise que Tania était vraiment pour eux un rayon de soleil, un vent de renouveau. Nos gueules à nous, ça fait trente ans qu'ils les ont en pâture. Ce qui prouve par ailleurs, si besoin était, que Tania est une actrice hors du commun : parvenir en quelques semaines à devenir la bru idéale, indispensable, essentielle, Catherine Deneuve peut aller se rhabiller.

Pendant que ma mère se lance courageusement dans une phrase à peu près normale sur un banal fait divers, je ne peux m'empêcher de repenser à la facture. Comment ces deux personnes qui susciteraient presque de la pitié peuvent-elles vivre avec un secret aussi lourd ?

Ce n'est pas possible, il doit y avoir une erreur. En quoi mes parents auraient-ils besoin de Figurec ? Il faut absolument que je revoie cette facture. Je décide d'aller dans la cuisine sous un prétexte quelconque, le plus insignifiant fera l'affaire : je suis redevenu invisible.

— Je vais chercher de la moutarde

ou

— Je vais chercher du sel

ou

— Je vais chercher le saint-honoré.

(Je ne sais pas ce que je dis exactement.)

J'ouvre le tiroir et fouille à pleines mains, fébrile. Tout y est comme la dernière fois, toutes les preuves de soixante ans d'existence apathique, minuscules amarres dans le flot continu des ans, tout y est comme la dernière fois, mais aucune trace de la facture. Je suis abattu. Ma mère a probablement réalisé, à raison, que l'endroit n'était pas le plus sûr pour dissimuler une double vie. J'ouvre encore quelques placards sans conviction avant de retourner à table me joindre à la sinistrose ambiante.

Ma mère pose le soufflé au fromage sur la table et le soufflé en s'affaissant mollement renvoie à chacun sa propre image.

## 62

Petit phare dans ce brouillard, Julien m'a recontacté. Il m'a donné rendez-vous sans m'en dire plus mais alors qu'il pousse la porte du bar je devine instantanément que tout s'est arrangé. Il a cette expression apaisée des jours fastes et je suis heureux pour lui – heureux et, naturellement, un peu déprimé de le découvrir apaisé. On n'occulte pas aussi facilement des millions d'années de nature humaine avec quelques préceptes judéo-chrétiens.

À mesure qu'il s'approche de la table, son visage perd en rayonnement. Quand il arrive à ma hauteur, sa mine réjouie s'est mutée en une moue inquiète et il me serre la main comme un médecin qui aurait reçu des résultats d'analyses.

— Ben dis donc, ça a pas l'air d'aller toi, t'as carrément une sale tête…

— Non non ça va, j'ai juste très mal dormi cette nuit, une rage de dents…

Je me force à sourire pour le rassurer, son visage se détend progressivement. Il s'assoit, nous commandons nos cafés et allumons nos cigarettes en silence. Ni lui ni moi ne savons par quel bout attaquer. À nous voir aussi patauds, on pourrait presque croire que nous ne nous sommes pas vus depuis des années.

— Faut faire gaffe avec les dents, c'est vachement important, beaucoup de centres vitaux dépendent des dents...

Faux départ. Retour aux starting-blocks. Rien n'est plus pudique et maladroit que des retrouvailles masculines. J'envie ces clichés virils à base de tapes dans le dos, de verres de bière qui se percutent et de blagues sur le mariage.

— Et ta pièce, ça avance ?

— Ben, en fait, en ce moment pas trop... On a eu un problème avec une actrice, un départ précipité, une histoire de contrat mal défini, bref quelques soucis qui viennent retarder le projet...

Pour la première fois je n'ai pas l'impression de mentir à propos de ma prétendue pièce.

— D'où ta sale mine...

— C'est possible... Toi par contre, tu as l'air en pleine forme.

— C'est vrai, ça va nettement mieux que lors de notre dernière entrevue... Je te dois des explications à propos de ce fameux Henri... J'ai fait fausse route dès le départ, et toi aussi du coup... (Il marque une pause comme pour prendre de l'élan en versant le sachet de sucre dans sa tasse.) Ce type que je prenais pour un rival, un amant mystérieux ou je ne sais quoi, n'était en fait qu'un vieil ami de son père... Tu sais que

Claire a perdu son père très jeune, elle avait à peine trois ans... Et elle a occulté cette absence, comme si son père n'avait jamais existé... Elle a toujours évité autant que possible de se retourner sur son passé, elle s'est volontairement désintéressée de cet homme pour se protéger, pour ne pas replonger dans des sentiments qui auraient pu la faire souffrir... Et puis elle est arrivée à une période de sa vie où l'on a besoin de savoir, de connaître ses racines... Les rapports extrêmement pudiques qu'elle entretient avec sa mère l'ont fait se tourner plutôt vers le meilleur ami de son père pour en savoir plus... Elle s'est décidée à le contacter, préférant ne rien me dire dans un premier temps... Elle avait besoin de parcourir seule ce chemin initiatique à rebours, elle ne voulait subir aucune influence, aucun jugement extérieur, juste écouter, le plus objectivement du monde, les récits de cet homme qui, m'a-t-elle dit, prenait ces rencontres très au sérieux. C'était une espèce de thérapie pour lui aussi, sa petite guerre contre le temps...

Il avale une gorgée de café en guise de point final.

Je le sens mal à l'aise. Il y a de quoi : à qui veut-il faire avaler pareille fumisterie ? Je revois la scène du bar, leurs regards entrelacés, leurs mains qui se chevauchent, leurs sourires presque lascifs, lui un ami de son père ? Balivernes. Qui ment à qui ? Qui est la victime de qui ? Je souhaite que ce soit lui qui me mène en bateau, qu'elle ait avoué sa faute mais qu'un bête orgueil de mâle l'empêche de tout me raconter. J'ai trop de peine à l'imaginer gober ça par amour.

— C'est génial... Content de m'être trompé, et désolé d'avoir provoqué tant de problèmes...

— Tu n'y es pour rien, c'était naturel que tu l'interprètes ainsi. Je t'avais complètement conditionné avec mes soupçons tordus.

Soupçons tordus. Pauvre Julien. C'est son bon sens qui est tordu. En revanche, son amour est des plus droits, des plus limpides, des plus admirables. Claire a beaucoup de chance, quoi qu'elle ait pu faire.

Nous passons très vite à autre chose, comme si au fond personne n'était dupe. Il m'apprend notamment qu'il a laissé tomber sa collection de 45 tours et qu'il va même se débarrasser de tout ce qu'il a accumulé jusqu'ici. Éminent symbole de mutation.

Au milieu d'une phrase banale il s'arrange aussi pour placer de manière très habile que, depuis cette histoire, Claire et lui ont repris plaisir à se retrouver tous les deux. Traduction : on n'a plus besoin du parasite.

# 63

Retour violent un an en arrière. Période étrange. Solitude écrasante. Je revis ça. À la seconde près. Verres qui se vident. Le soleil mort à dix-huit heures. Heure où Julien Lepers entre dans ma vie. Julien Lepers donne un indice pour nous, chez nous. Lepers qui connaît la totalité des départements de France et que j'admire pour ça. Verres qui se vident et personne en face. La chaise est redevenue la chaise. Plus assez d'imagination. Où es-tu ? Pleine de quel Laurent Bonnet ? Te souviens-tu de nos fous rires ? Les infos régionales. Raviolis à même la boîte. Froids. Cassoulet à même la boîte. Froid. Les infos régionales. Un café-concert ouvre ses portes. Un éleveur passe au bio. Les Français sont contents, ils ont consommé gnagnagna pour cent de plus que l'année dernière. On a retrouvé la petite Géraldine. Violée. Comme tous les ans on a retrouvé la petite Géraldine violée. Te souviens-tu du café après le repas ? Que je buvais froid tellement je buvais tes paroles. Tes paroles d'actrice. Tes mots achetés. Dix euros la phrase. Cinq le sourire. Deux la mèche de cheveux que tu relèves. Grève des transports en commun. Les chômeurs réclament leur prime de Noël. Je devrais y être avec eux. C'est ma race. Dans la famille raviolis-à-même-la-boîte je voudrais le fils. Claire qui suce des vieux. Qui a perdu son père et qui suce des vieux. Idée pour ma pièce : le rideau s'ouvre sur Claire qui suce un vieux. Julien est à côté et s'adresse au public : rien de grave, c'est un ami de son père. Rire du public. Tania. Politique internationale dont tout le monde se fout. Moi le premier. Un mort à l'autre bout du monde est moins mort qu'à Paris. Et encore moins mort que dans mon quartier. Les plus mortes sont les Géraldine violées. Verres qui se vident. Tania, comme tout est vide. Comme tout est vide. C'est pas moi qui le dis, mais Heisenberg. M'as-tu vu rater ma vie, Heisenberg ? C'est bientôt Noël. Un enfant qui parle avec les dents écartées – les dents du bonheur. Le bonheur de prendre des gnons dans la gueule à l'école parce qu'on a les dents écartées. Sa mère à côté. Son fils passe à la télé. Enfant Figurec. Mère Figurec. Père Noël Figurec. Passants Figurec. Figurec qui m'a bousillé la vie. Qui a bousillé ma vie Figurec. Je change de chaîne. Je dois me lever. Plus de pile dans la télécommande. Plus de télécommande d'ailleurs. PPDA est impeccable. Je l'admire pour ça. C'est quelqu'un que j'aimerais être, PPDA. C'est bientôt Noël. Un enfant avec les dents écartées dit qu'il va avoir un camion de pompiers. T'auras une orange et tu fermes ta gueule. Pourquoi personne lui dit ça ? Ce serait rigolo. Tout ce temps tu as fait semblant ? Tu as dû passer quelques moments agréables non ? Personne ne simule aussi bien. On a trouvé la petite Géraldine sur cette chaîne aussi. Mais après les dents écartées du bonheur. Priorité à la joie. Priorité à la joie, Tania, priorité à la joie. Je hurle priorité à la joie. Je m'écroule.

[FIGUITÉ]

## 64

Le type balaie consciencieusement le moindre centimètre carré. Je m'approche de lui.

— Bonjour, je dois absolument voir un haut responsable. C'est au sujet de mon contrat.

Il lève la tête sans cesser de balayer.

— Un haut responsable de quoi ?

— Allons... Je connais bien un de vos collègues, il balaie aussi, je suis de la famille...

Je lui adresse un clin d'œil avenant. Il me toise avec un air idiot. Il fait mine de ne pas comprendre. C'est tout naturel : il attend de moi une perche plus appuyée.

— Je suis client. Je sais que vous faites semblant de balayer (re-clin d'œil).

— Non mais ça va pas ? Dégagez d'ici avant que je vous colle mon poing dans la gueule ! Vous allez voir si je fais semblant !

## 65

— Ouah la sale tronche ! J'espère que tu nous couves pas une maladie mortelle, avec le blé que tu me dois...

— Non non ça va, j'ai juste très mal dormi cette nuit, une rage de dents...

— C'est ça ouais, une rage de dents... Et mes rides, c'est la marque de l'oreiller. Me prends pas pour un con, tu veux ? Qu'est-ce qui va pas ?

— Tania m'a quitté pour un autre. Un certain Laurent Bonnet.

Bouvier me scrute bizarrement. Il lève un sourcil anormalement haut – il devrait postuler au *Guinness Book of Records.*

— Attends, répète-moi ça calmement : Tania t'a quitté pour un autre ? Tania ? La fille que tu louais ? Je rêve... Atterris, petit con : t'as pas payé et ils te l'ont sucrée, c'est tout. Tu vas pas nous sombrer toi aussi dans le syndrome Figurec. C'est une employée, tu entends, une employée ! Elle venait, elle faisait ses heures et elle se barrait, comme une dame-pipi, pas plus.

Cette fille n'est ni ta petite amie, ni ta fiancée, ni même une copine.

— Vous ne savez rien du tout. Tania et moi avions noué une relation particulière, au-delà du rapport professionnel. Il y a beaucoup de choses que je ne vous ai jamais racontées. Saviez-vous par exemple que Tania venait dîner tous les soirs chez moi ?

— Hors contrat ?

— Hors contrat.

Il me regarde en coin en se tapotant une narine avec l'index.

Le serveur s'approche de notre table, il a un nouveau nœud papillon dont il semble très fier. Autre plus depuis quelques jours : il nous donne à chacun la carte. Nous la prenons et choisissons parmi le seul menu proposé. La typographie, manuscrite, est très enroulée, très dix-neuvième – même s'ils ont oublié un *l* à *lentilles*. Il prend la commande avec son application habituelle, récupère les cartes et repart de sa démarche mi-féminine mi-C6PO de *Star Wars*.

— Bon alors rien de bien original finalement, banale histoire de cul, Figurec n'a rien à voir là-dedans.

— Sauf qu'elle est partie sans laisser d'adresse et le seul moyen de la retrouver, c'est de passer par Figurec… Et tant que je n'ai pas remboursé ma dette, je suis interdit de commande.

— Mmh… elle sait où tu crèches, si elle voulait te revoir ça se saurait… à ta place, mon gars, j'essaierais de faire le deuil.

# 66

Tous les jours : une vieille qui achète sa baguette, la paye, la met dans son panier où se trouve déjà la tranche de jambon cuit, puis se décale sur la gauche mais reste devant le comptoir. Elle entame sa revue de presse, et chaque client qui défile y participe, chacun ajoutant son commentaire, sa pierre à l'édifice. La vieille reste environ une heure, le temps d'épuiser les différents sujets de société.

Je m'approche.

— Figurec ?

Tous les jours : un agent de police posté à un carrefour assez dégagé, peu encombré où les voitures ont une visibilité correcte. Il se tient debout sur le trottoir, fronce les sourcils, note des choses dans un carnet, parle régulièrement dans un talkie-walkie. Chaque cinq minutes, il s'avance sur la chaussée et exécute de grands gestes chorégraphiques pour donner la priorité à tel ou tel véhicule, véhicules qui remarquent à peine l'agent et qui s'apprêtaient à gérer ça le mieux du monde.

Je m'approche.

— Figurec ?


Tous les jours : à la poste, sur le comptoir de l'un des guichets, un écriteau : *Guichet momentanément fermé.* Derrière, un homme d'une cinquantaine d'années, chauve avec d'épaisses lunettes, qui remplit des formulaires. De temps à autre, il tape des chiffres sur une vieille machine à calculer. Chaque quatre formulaires, il se lève et va les mettre dans une grosse caisse en plastique rouge (qu'un autre type, la cinquantaine, chauve avec des lunettes épaisses, vient régulièrement vider). L'écriteau reste sur le comptoir toute la journée.

Je m'approche.

— Figurec ?


Tous les jours : cinq femmes qui déposent leurs enfants à l'école primaire et restent devant le portail de neuf heures à neuf heures quarante. Elles monologuent ensemble de leurs voix stridentes, évoluant dans un registre d'environ trente-cinq mots, invariablement les mêmes. Elles paraissent indignées par de nombreuses choses, si elles avaient un quelconque pouvoir, nul doute que le monde tournerait plus rond. (Quand l'une d'elles est absente, les quatre autres la trouvent bizarre et émettent des hypothèses sur son routier de mari.) Le quintet se sépare lorsque l'une d'elles donne le signal : le ménage va pas se faire tout seul.

Je m'approche.

— Figurec ?

Tous les jours : un type qui pourrait être Henri s'attable sans ôter sa gabardine et commande un café. Le Henri a une cravate un peu fantaisiste pour atténuer ses dents de requin. Il déplie son journal devant ses yeux mais ne le lit pas. Il consulte régulièrement la messagerie de son téléphone portable, l'air inquiet. Le Henri finit par composer un numéro et parle fort à un autre Henri qui a probablement un journal déplié devant lui et qui se réjouit de s'être donné quelques secondes avant d'appeler. Le Henri parle en riant de choses primordiales.

Je m'approche.

— Figurec ?

Tous les jours : des adolescents sont assis sur des marches en pierre froide. Ils ne parlent pas de marques de chaussures. Ils ne parlent pas de marques de voitures. Ils ne parlent de rien. Ils font juste tourner une grosse bouteille de soda orange fluorescent – du *Che Guevara Cola*. De temps en temps, l'un se lève pour mettre une claque sur la casquette d'un autre et va se rasseoir en silence. L'autre lui dit stoïquement d'aller lécher sa mère et lui fait passer la bouteille de soda.

Je m'approche.

— Figurec ?

— Figurec, viens me bouffer le steak, je la lui mets à sec, à la mère à Malek, celle qui pue du bec.

— Enculé va.

(Il lui passe la bouteille.)

# 67

Je ne suis pas retourné chez mes parents – je me dois de rester auprès de Tania qui est encore immobilisée par son entorse.

À bien y réfléchir, mes parents ont au moins un point commun avec Tania : je ne les connais que depuis une poignée de jours – et depuis, à leur manière, ils m'obsèdent tout autant.

Les seuls mensonges que l'on ne parvient pas à accepter sont ceux de ses parents. La première brèche aperçue dans l'inébranlable monolithe parental fut la mort du Père Noël. On aurait pu me dire, comme on le fait à tous les enfants de cet âge critique : il n'existe pas. À moi on m'a dit : *Le Père Noël est mort* – pourtant je doute que Nietzsche ait jamais eu une quelconque influence sur mes parents.

Petit à petit, au fil des ans et des révélations, le monolithe s'était effrité jusqu'à devenir un tas de poudre noire à moitié soufflée par le vent et je croyais, à ce jour, la décomposition parvenue à son stade ultime. Je me croyais exempté de nouvelles déceptions, au moins de ce côté-ci de mon existence. Et puis il y a eu la facture. Et l'on apprend que l'insécable est toujours sécable, que l'on peut toujours être plus poudre que poudre, que la déception est une tumeur qui peut réapparaître à tout moment, à l'endroit que vous attendez le moins, même si vous vous croyez guéri – *surtout* si vous vous croyez guéri.

Depuis la facture, je marche dans Figurec. Tout ce qui m'entoure est Figurec. Je ne vois pas pourquoi les choses seraient réelles alors qu'il suffit de payer pour qu'elles soient idéales, du moins en apparence – c'est-à-dire à quatre-vingt-dix-neuf pour cent.

Pour quelques billets on trouve que vos toiles ont un je-ne-sais-quoi de Chagall, vous remplissez une église à n'importe laquelle des étapes de votre vie, votre boutique de vêtements pour enfants est comble, on trouve courageuse votre prise de position en faveur d'une minorité, un passant vous demande un autographe au milieu d'un marché, les gradins de votre tournoi de tennis sont pleins.

Pour quelques billets, alors que vous puez le renoncement jusque dans le cuir chevelu, Tania pousse la porte du bar et change votre vie.

Je déambule au hasard, un type s'approche de moi et me demande du feu, un type avec la coupe de Dick Rivers mais en roux. Lui, par exemple, est employé pour demander du feu dans la rue, bien qu'on ne voie pas très bien qui a intérêt à ce que cet homme demande du feu dans la rue.

(Ce à quoi Bouvier me répondrait : firme de cigarettes qui paye pour de la publicité clandestine, le type exhibe chaque fois son paquet et, hop, le tour est joué.)

## 68

Au gré de mes déambulations je finis mira-
culeusement dans un parc à la sérénité extra-
terrestre (ou, plus probablement, extra-urbaine).
Je m'assois sur un banc au bord de la mare aux
canards. Un type est déjà là qui surveille ses
deux filles du coin de l'œil entre deux articles
d'un journal centriste.

Les fillettes sont blondes et sont habillées
pareil, elles courent après les canards en criant
*si j'arrive à l'attraper, c'est que Jonathan m'aime.*
(Je devrais essayer ça, courir après les canards
en criant *si j'arrive à l'attraper, c'est que Tania
m'aime.*)

Au beau milieu de la mare, un couple a loué
une barque. Lui rame pendant qu'elle le fixe
avec un sourire béat. C'est très mignon, très
fleur bleue. On a du mal à imaginer en voyant
cette carte postale que dans quelques mois elle
lui reprochera de ne jamais passer la serpillière.

— Il faut que vous cessiez immédiatement

votre petit manège ou vous allez avoir de sérieux problèmes. Et quand je dis *sérieux*, je pèse mes mots.

Sur le moment je crois à une hallucination auditive tant le type à côté ne manifeste rien de particulier. Il a encore le nez dans son journal et un air passablement concentré.

— C'est à moi que vous parlez ?

Il finit par lever la tête et me lance un regard froid sans fermer son journal.

— Où voulez-vous en venir exactement ? Vous croyez qu'alpaguer la moitié de la ville en répétant Figurec arrangera vos histoires ? Je peux vous assurer que c'est exactement le contraire qui est en train de se passer...

— Écoutez, je ne pense pas à mal, ce que je veux c'est retrouver Tania.

— Honorez vos dettes et vos commandes pourront reprendre leur cours normal.

— Je suis sur le point de réunir la somme, mais il faut absolument que je la voie, c'est urgent, il y va de ma santé... Cinq minutes, pas plus, c'est vital vous m'entendez, il faut que je sache...

Le type me fixe un instant en silence, jette un œil distrait aux fillettes qui courent toujours après l'amour, me fixe à nouveau. (Est-ce que ce sont ses vraies filles ?)

Sa pupille ne perd rien de sa rigidité, et pourtant, au loin, une infinie douceur transperce. Il reste ainsi quelques interminables secondes. Puis, subitement, la lumière dans ses yeux change imperceptiblement, l'étincelle que je discernais à peine semble vouloir se poster au premier plan.

— Il se peut que vous la croisiez demain, autour de midi, au Bar de la Fontaine... N'allez pas croire que je fais ça pour vous rendre service. Si je le fais, c'est avant tout pour le bon fonctionnement de Figurec. Je sais ce que vous vivez. J'étais client avant d'être contrôleur, comme vous et comme beaucoup je suis passé par le syndrome. Voyez-la une bonne fois pour toutes, et quand vous aurez bien intégré la différence entre la Tania que vous avez créée et l'employée qu'elle est, les choses rentreront dans l'ordre. Allez, filez, et d'ici là tenez-vous tranquille.

## 69

En la voyant attablée au fond de la salle, j'ai du mal à réprimer une larme d'émotion qui tente de sourdre. Je m'avance d'une démarche irrégulière et anormalement molle pour compenser le stress qui me tétanise.

Son expression quand elle m'aperçoit hésite entre la surprise et, me semble-t-il, une certaine contrariété – je suis probablement la dernière personne qu'elle s'attendait à trouver ici. Elle s'apprêtait à allumer sa cigarette mais suspend son geste.

— Bonjour, je passais dans le coin et je vous ai vue à travers la vitre. Je peux m'asseoir ?

Elle me montre la chaise face à elle et finit par allumer sa cigarette. Je commande un café et, après quelques *ça va* et autres introductions de rigueur, la tension retombe un peu.

— Vous êtes en train de travailler ?

— Eh oui. Je fais aussi les tables de bar, on ne peut pas manger du gratin de courgettes à tous les coups...

Ce clin d'œil à notre histoire autant que l'air espiègle qui l'accompagne me donnent la chair de poule.

— Où en êtes-vous de vos activités d'écriture ?

— Je continue sans relâche d'écrire des tragédies à tiroirs...

— Vous faites dans l'alambiqué ?

— Non non, des tragédies à tiroirs, littéralement : écrites pour rester dans des tiroirs.

Elle rit, mi-compatissante mi-autre sentiment mal défini. Le garçon m'apporte mon café. Je lui demande si elle en veut un autre, elle refuse en silence, secouant imperceptiblement la tête. Chez elle tout est minimal, suggéré, comme si elle s'économisait en permanence ou craignait qu'un mouvement de trop soit d'une vulgarité insupportable.

— Votre famille va bien ?

— Vous leur manquez, ils espèrent que vous allez bientôt vous rétablir de votre entorse...

— Une entorse ? Et j'ai fait ça comment ?

— En rollers.

Elle laisse échapper un nuage de fumée en pouffant.

— Heureusement que je ne fais pas de rollers, vous m'auriez sûrement porté malheur...

Elle tire une longue bouffée sur sa cigarette, ses joues se creusent, c'est d'une sensualité assez insoutenable.

— Vos problèmes s'arrangent ?

— Petit à petit... J'éponge ma dette au

coton-tige… D'ici un an ou deux je devrais être à jour.

Elle continue de sourire, ça devrait me rassurer, en fait ça m'angoisse. J'ai l'impression que tant que l'on sourit, on ne va pas au fond des choses. Je crois que je préférerais des larmes, des cris, un visage inquiet, un simple froncement de sourcils me suffirait. Tout plutôt que ce sourire qu'elle adresserait pareillement à sa boulangère, au facteur, à un enfant qui fait une grimace.

Elle refuse d'aller au fond des choses : me reste à devenir leste.

— Je… Je me demandais si vous accepteriez de venir manger chez moi un soir…

Son expression change brusquement, c'est ce que je cherchais, ou peut-être pas finalement. Subitement elle ne sait plus trop quoi faire de tous ses doigts ni de ses yeux. Elle avale le fond de son café et repose la tasse sans me regarder.

— Je suis désolée, il faut que j'y aille, j'ai encore pas mal de cafés à boire.

— Vous ne m'avez pas répondu.

— Écoutez, vous savez aussi bien que moi que notre situation est spéciale… J'ai passé de très bons moments, vraiment, si vos affaires s'arrangent je serai ravie de travailler à nouveau pour vous mais…

— Travailler ?…

Elle se lève, enfile son duffle-coat.

— Je comprends ce que vous ressentez, c'est très fréquent, on appelle ça le syn…

— Syndrome mon cul ! Tu ne peux pas

effacer ça, Tania, tu ne peux pas effacer tout ce qu'on a vécu !

— Je ne m'appelle pas Tania.

— Toutes ces soirées télé-vin rouge en tête à tête, cette complicité, nos fous rires sur le canapé, Tania, ne me dis pas que tu simulais... La fameuse soirée des *effectivement*, quand on avalait un verre cul sec chaque fois qu'un des intervenants du débat disait *effectivement*, souviens-toi dans quel état on a fini...

— Ces soirées ? Quelles soirées ? Vous perdez la tête, vous êtes à un stade avancé du syndrome, vous devriez...

— Et notre rencontre, Tania, tu as déjà oublié notre rencontre ? La librairie, la tirade d'Andromaque, la discussion des heures durant dans le bar, nos projets pour la pièce, les...

— Je dois y aller, je suis sincèrement désolée pour vous, je ne suis pas là pour soigner les clients, croyez-moi, essayez de contacter un médecin Figurec, moi je ne peux...

— Tania, tu te souviens du producteur véreux qui voulait...

— Je ne m'appelle pas Tania, je m'appelle Sylvie, vous entendez : Sylvie ! Encore une fois je ne peux rien pour vous. Tania est morte, morte et enterrée jusqu'à la prochaine commande. Je suis dure avec vous mais vous m'y obligez...

— Tu ne peux pas avoir oublié...

Elle se dirige vers la sortie, je lui attrape le bras, elle se dégage, je lui attrape à nouveau le bras, elle me gifle, elle pousse la porte, j'essaie de la retenir, un type me saisit par l'épaule, un type bâti comme un chêne, il me dit *il faut laisser la dame*, elle sort, elle part, je ne la distingue plus, je m'effondre en larmes contre le chêne.

(Entre deux spasmes je l'entends chuchoter *elle a raison mon gars, peut-être que tu devrais voir un médecin Figurec*.)

## 70

Épitaphine et Jean-Certain sont assis sur le bord du lit et tentent de m'arracher le drap des mains. Je l'agrippe de mes poings serrés et le maintiens sous mon nez. Au bout d'un moment, comme je ne lâche pas, ils laissent tomber.

— Tu ne vas quand même pas perdre ta semaine au lit, avec tout ce que tu as à faire...

— J'ai plus rien à faire.

— Ah oui ? Tu sais que ça fait six mois qu'on attend l'arrivée de Pierraliste... Tu attends quoi exactement ?

— Je sais pas, j'y arrive pas, j'ai peur...

— Peur ? Peur de quoi ?

— Peur qu'il ne se passe rien.

— Qu'il ne se passe rien ? Je croyais que Pierraliste apportait avec lui une multitude de secrets douloureux, je croyais qu'un passé inconnu allait se dessiner progressivement tout au long de son séjour...

— C'est bien ça le problème... Ce sont des

secrets, seul Pierraliste les connaît, moi je ne suis au courant de rien...

— Ne te fous pas de nous... Ne me dis pas que tu as attaqué cette pièce sans en prévoir l'action, ne serait-ce que dans le premier acte ?

— Exactement.

— Alors pourquoi dans ce cas t'es-tu lancé là-dedans ?

— Je sais pas... J'avais une vraie envie, un vrai besoin... Maintenant j'ai peur... Ma lâcheté, mon orgueil, un tas de trucs qui m'empêchent d'écrire le moindre mot...

Épitaphine et Jean-Certain se regardent, décontenancés. Jean-Certain se masse le coin des yeux puis respire un grand coup.

— Bon admettons. Jusqu'ici l'inspiration n'était pas forcément au rendez-vous, peut-être menais-tu une vie trop plate, trop routinière pour qu'elle provoque le moindre déclic... mais la situation a changé... Tania t'a quitté, tes amis t'ont lâché, tu es au fond du trou, voilà l'état idéal pour un artiste, le voilà le terrain propice à la création !

— Conneries... Conneries et clichés sur le mythe de la création... On n'écrit pas parce qu'on est mal, on écrit parce qu'on l'a été... Tu me vois écrire dans mon état ? Des pantoufles, un café, une clope, une cheminée avec un chat devant, un ordinateur et un salaire qui tombe chaque mois, le voilà le terrain propice à la création, là on peut écrire sur la souffrance... Dans

192

l'état où je suis, on reste au lit. On reste au lit et on attend que ça se passe.

— Tu es sur la bonne voie, tu as déjà les pantoufles, le café et la clope.

— J'ai plus de café.

# 71

24 décembre. Dix-neuf heures. Ma mère téléphone pour savoir ce que nous faisons ce soir. Je
lui dis que nous préférons rester là, Tania ne peut
toujours pas poser son pied. Nous irons fêter ça
avec eux dès qu'elle ira mieux. Quoi qu'il en soit,
je viens demain comme convenu. Elle veut sou-
haiter un joyeux Noël à Tania, je lui dis qu'elle
s'est assoupie, l'effet des calmants pour la douleur,
je transmettrai. Nous nous souhaitons un joyeux
Noël, je raccroche et retourne sous les draps.

Un quart d'heure après, la sonnerie de la porte
retentit. Mon cœur bat la chamade : des années
que cette sonnette n'avait pas fonctionné, j'avais
fini par oublier que j'en avais une – j'avais même
fini par oublier que d'autres personnes que moi
peuvent accéder à cet appartement à l'aide d'un
simple escalier.

Je suis complètement paniqué. Si c'est une
surprise de mes parents, je suis perdu. Je me

dirige vers la porte et approche mon œil du judas. Je suis rassuré en découvrant ce visage que, bizarrement, le judas ne déforme pas – toujours l'imposante présence de ce nez prêt à éclater à tout moment. J'ouvre et me retrouve avec une bouteille de champagne entre les mains.

— Tiens, t'ajouteras ça à ce que tu me dois. (Il entre avant que j'aie prononcé le moindre mot.) Ben mon vieux, c'est pas qu'un peu le bordel chez toi, on dirait une piaule d'étudiant... (Il se tourne vers moi, me fixe une seconde et éclate de rire.) La barbe, c'est naturel ou tu t'es collé des poils de burnes pour faire le grand ?

— La barbe ? Ah oui, j'ai simplement oublié de me raser...

— C'est bien, ça ajoute un petit plus au côté cadavre... T'avais prévu quelque chose de particulier pour ce soir ?

— Je comptais me reposer, je manque de sommeil en ce moment.

— T'as toute la mort pour te reposer, vu ta tête, tu devrais pas attendre trop longtemps, alors ce soir c'est fiesta.

— Écoutez, je ne suis pas sûr de pouvoir...

# 72

… pisser dans le trou tellement je suis saoul. Je m'appuie sur le mur de ma main libre. De très loin me parvient la grosse voix de Bouvier dans une chanson de Nicolas Peyrac revisitée, truffée de mots obscènes, et son rire gras, fier de ses trouvailles de potache.

Je tire la chasse et m'aperçois dans le miroir de la salle de bains, affichant le sourire le plus imbécile qui soit : le sourire à deux grammes et demi. Je rejoins Bouvier, mon verre est de nouveau plein.

— Et celle du jeune loup qui voulait se faire une place dans les créatifs de Figurec, je te l'ai racontée ? Un petit con qui voulait à tout prix trouver l'idée qui tue pour toucher des royalties, il cherchait le truc jamais fait, et tu sais ce qu'il a pondu comme projet ? Figurant passif pour des plateaux d'émissions de radio ! Un gars qui se mettrait devant un micro et qui dirait rien ! Ah ah ah, celle-là, elle a fait le tour du pays… Le pire c'est que quelques semaines après s'être fait remballer, il s'est pointé avec un autre projet du même style, toujours pour un plateau d'émission de radio mais cette fois en figuration active : dessinateur de presse pour la radio ! Un mec qui gribouillerait des crobards marrants pendant les débats, mais à la radio !

Nous rions comme des dératés en tapant des poings sur la table, la moitié de mon verre se renverse sur la nappe aux tournesols, Nicolas Peyrac chante *Un volet bat de l'aile*, c'est mon unique cassette, elle tourne en boucle depuis le début de la soirée, un florilège de chansons tristes que nous couvrons de nos rires de collégiens.

— Allez, ressers-moi de tes chips, tu les as réussies... La vache, si on m'avait dit qu'un jour je passerais un réveillon de Noël avec des chips et du jambon, je me serais jeté direct du haut d'un pont...

— C'est votre faute, vous débarquez à l'improviste, si vous m'aviez prévenu, j'aurais acheté du foie gras, des truffes, du saumon, des trucs appropriés...

Nous trinquons toutes les trois minutes, au fric, à la réussite, à l'amour, à Nicolas Peyrac, aux enterrements de Jacomond, aux chips, à Figurec, à mes nouveaux parents, à nos futurs cancers, à ma pièce, à nous, au fric, à nos timbales en plastique qui s'écrasent chaque fois que nous trinquons. Aux tournesols qui sont passés du jaune au mauve.

— Et en dessert, tu vas me proposer quoi ?

Des Petits LU ? Du pain avec de la confiture d'abricots ? Des bonbons Krema ?

De temps en temps, par flashes, me revient le visage de Tania, et je suis bien.

## 73

Quatre heures du matin, concours d'imita-
tion, il imite François Bayrou, je dis François
Bayrou, c'est faux, c'était Pasqua, j'imite un
groupe de minéraux, c'était vraiment trop dur il
dit, il m'envoie un coup de pied dans le ventre,
il me manque, il s'étale, je lui envoie un verre
plein de vin dans la gueule, je ne le manque
pas, il m'envoie le radio-réveil, on ne sait plus
quelle heure il est, nous chantons *Mon amant
de Saint-Jean*, j'improvise un quatrième couplet
où l'amant revient et s'excuse, il improvise un
cinquième couplet où il repart après l'avoir bai-
sée et rouée de coups de poing dans les côtes
flottantes, on finit les fonds de chips, on ouvre
la dernière bouteille de vin, on essaie de pisser
dans une timbale à trois mètres, je pleure en
pensant à Tania, il me dit de l'imaginer en train
de chier, je pleure en l'imaginant en train de
chier, on danse sur Nicolas Peyrac, sur *Je pars*,
il me dit qu'il a été champion d'Europe de danse
sur un pied, je lui dis que j'ai été champion de

cheveu en Biélorussie, il connaît très bien le sud de la Chine, il connaît un type là-bas qui vend des feuilles photocopiées, je suis persuadé qu'il ment, j'ai eu un 103 sport avec un guidon taureau et un pot serpentin, il dit que c'est politique, que le 103 sport est un enjeu de première importance sur le plan international, une fois il a baisé une pute aveugle, il l'a payée avec des billets de Monopoly, je suis persuadé qu'il ment, je ne suis jamais allé voir les putes, il est persuadé que je mens, pour lui tous les mots qui comportent une double consonne devraient être traduits en tchèque pendant quelques années, je suis absolument contre, lui aussi finalement, nous n'avons ni lui ni moi d'avis sur le suicide de Dalida, en revanche il sait qui a tué Hervé Vilard, je ne lui demande rien, je ne tiens pas à avoir des problèmes, je connais un artiste qui expose des miroirs de salle de bains en hommage aux résistants au régime de Pol Pot, il connaît un artiste qui expose des murs de galeries mais uniquement pour chômeurs longue durée, il est contre les chômeurs longue durée, il trouve que ces gens-là ont très mauvais goût en matière de tapisseries, je reste neutre sur ce sujet, il connaît quelqu'un qui n'a jamais prononcé le mot *timbre* de sa vie, je le connais aussi, nous en parlons longuement, par respect pour lui nous évitons nous aussi de prononcer le mot *timbre* pendant quelques minutes, il dit que si les léopards n'existaient pas beaucoup de choses seraient différentes, et il ajoute en murmurant *si tu vois ce que je veux dire*, nous reparlons du suicide de Dalida et cette fois-ci nous sommes totalement contre, il connaît un exhibitionniste qui vend des montres sous le manteau, il fait d'une pierre deux coups, je dis qu'en général les tapis sont des produits d'assez bonne qualité, il aimerait y réfléchir un peu avant de me donner son avis, il dit que chaque fois qu'il ouvre un livre au hasard il tombe sur la page 47, je lui dis que c'est freudien, il ne me croit pas, il est vexé que j'aie pu penser ça de lui, il dit que sa première petite amie n'avait pas de prénom, ses parents étaient très distraits, ils avaient complètement oublié de lui en donner un, je connais un mendiant tellement orgueilleux qu'il arbore une pancarte *Je n'ai besoin de rien*, il dit que je suis un des plus grands mythomanes au moins depuis 1954, je prends ça très mal, il me dit qu'il n'a jamais rencontré Mick Jagger et que beaucoup devraient suivre son exemple, nous parlons des éclipses de soleil, nous sommes contre, c'est totalement surfait, j'ai très peur des Mexicains, il me rassure, les Mexicains n'existent pas, encore une trouvaille de Figurec, par contre les mariachis n'étaient pas du tout prévus, il dit qu'il a vu la pièce *Les trois sœurs* jouée par une troupe de sourds-muets, je l'ai vue aussi, nous sommes d'accord sur le fait que l'émotion y perd un peu, nous passons le reste de la nuit à tenter d'évaluer la somme qu'il nous faudrait pour créer une entreprise de fabrique de lunettes.

[FIGURTÉ]

# 74

25 décembre. C'est Noël. Je me réveille allongé sous la table de la cuisine avec des moufles, un demi-savon dans chaque oreille et mes pieds sont attachés à la table avec une bande de cassette. Je relève légèrement la tête et découvre le capharnaüm, ce qui précipite la nausée qui couvait patiemment dans mon ventre. Je me rue aux toilettes.

Quand je me relève, moite et parcouru de part en part de frissons désagréables, je me trouve face à une inscription au feutre rouge au-dessus de la cuvette : *Marco Polo dans ton cul.*

Je tente de dénicher dans cette immense décharge qu'est devenu mon appartement de quoi vaguement m'habiller et sors immédiatement pour éviter d'être confronté à ça une minute de plus.

Dehors, j'apprends qu'il est onze heures et des poussières. Je suis censé manger chez mes parents mais je ne sais pas si c'est une bonne idée. Je me vois mal quitter la table pour aller vomir à mesure la fort probable dinde aux marrons de ma mère – excellente au demeurant bien qu'un peu trop *annuelle*.

La rue est exceptionnellement vivante pour un lendemain de fête – à moins que ce ne soit moi qui sois exceptionnellement mort. À la réflexion, rien de plus normal, Figurec est là pour boucher le moindre trou. Je suppose qu'ils ont consigne – commande de municipalité, par exemple – de maintenir un minimum de vie à chaque instant, alerte rouge dans les ventres mous de l'année, allez hop tous dans la rue.

La plupart des gens que je croise me dévisagent bizarrement, je réponds à certains par un clin d'œil pour signifier mon appartenance à la famille. Ils me regardent alors encore plus bizarrement, ce qui est compréhensible : le Grand Secret.

Un type fait la manche devant la fontaine, c'est très bien joué, je me demande s'il est spécialisé là-dedans ou si demain il sera à la tête d'une boîte de multimédia. Je lui donne une pièce en lui chuchotant *beau travail*. On ne félicite pas assez les mendiants pour leurs prestations admirables.

Les couples ont des gabardines assorties et tiennent du bout des doigts un bouquet de fleurs ou une pâtisserie dans une boîte bariolée. Je les félicite eux aussi pour leur jeu tout en retenue, tout en subtilités. Rien à dire, Figurec fait du bon boulot. Combien d'heures passées dans une montagne de fiches pour dénicher ce couple-là ? Où vont-ils chercher pareilles complémentarités ? Ceux-là par exemple, on les croirait mariés depuis quinze ans, alors qu'ils avaient probablement rendez-vous ce matin pour la première fois. Improvisation dans l'urgence de la situation. Non, vraiment, les gars de Figurec n'ont rien à envier aux pompiers – eux aussi devraient vendre des calendriers, je suis sûr que ça marcherait.

Au milieu de la rue, quatre adolescents se tiennent par les épaules et chantent des chansons de Noël en brandissant une bouteille de champagne à moitié pleine. Ils souhaitent de joyeuses fêtes aux passants de manière très polie quoique franchement imbibée. La municipalité veut probablement signifier par là : nos jeunes aiment faire la fête, et c'est légitime à leur âge, mais ils n'ont pas perdu le sens des valeurs morales qui font notre beau pays.

Je lève un pouce démagogique dans leur direction pour les encourager – celui qui se trouve à la gauche du groupe joue peut-être moins bien que les trois autres, il est livide et passablement mou, on ne peut pas demander à une troupe de ne comporter que d'excellents éléments, les castings ne sont pas infaillibles.

La nausée me quitte peu à peu pour laisser la place à un état gentiment douillet, une fatigue à l'énergie rentrée, où des résidus d'ébriété cherchent à se manifester d'une façon ou d'une autre. Je fais une halte dans un bar qui borde l'avenue, m'accoude au comptoir et commande une boisson pétillante, de celles qui donnent l'illusion de récurer les parois de votre estomac à la paille de fer. Tout le long du zinc, alignés comme un étal de viande avariée, des poivrots Figurec bavent dans leur petit rouge en fumant des gitanes. Je suis impressionné. Leurs pauvres gars sont plus vrais que nature. Où sont-ils allés les pêcher ceux-là ? Même les SDF du foyer Saint-Antoine ont l'œil plus vif. Rien à dire, des losers de grande qualité. De merveilleux rebuts.

Il me semble en reconnaître un dans le lot. Je le guigne du coin de l'œil en essayant de faire un effort de mémoire, chose pas forcément évidente en l'état actuel de mes neurones. Et puis subitement ça me revient. Je m'approche de lui. C'est un type d'environ soixante-dix ans avec une casquette, un type tellement rabougri qu'on dirait une feuille de papier froissée que quelqu'un a oubliée sur un tabouret.

— Excusez-moi, vous n'avez pas enterré votre femme dernièrement ?

Il lève les yeux vers moi, du moins ce que je devine être des yeux, là-bas, dessous.

— Vous la connaissiez ?

— Pas avant l'enterrement. Mais c'était une cérémonie en tout point parfaite, vous y avez été admirable, d'une justesse à tirer des larmes, vraiment. Et sans sombrer dans le pathos, pas une larme, pas un bruit, tout en finesse, alors que les autres ont toujours tendance à en faire des tonnes... Sincères félicitations.

Il me remercie, un peu hagard, je le gratifie d'une petite tape amicale sur l'omoplate, finis mon verre et replonge dans la fraîcheur de Noël.

Plus bas dans la rue, un autre type fait la manche, il chante *Like a Rolling Stone* de Bob Dylan en s'accompagnant avec une guitare recouverte d'autocollants contre le nucléaire, la guerre, le sida, les enfants maltraités. C'est un moment très désagréable.

Mauvais point pour Figurec : quand on ne sait pas où caser un fan de Dylan, mieux vaut éviter les lieux publics – ou alors le mettre au milieu d'une manif de profs, couvert par des slogans contre la prolifération des poux.

# 75

C'est au moment où ma mère ouvre la porte que je réalise que je n'ai pas de cadeau. Ça m'était complètement sorti de la tête. Je le justifie immédiatement tout en l'embrassant, oublié chez moi, la tête ailleurs, ma pièce qui me prend beaucoup d'énergie, le pied de Tania qui ne s'arrange pas, je les apporte la prochaine fois, je pense que ça vous plaira. Elle s'étonne de ma barbe naissante, je mets quelques secondes à réaliser.

— Ah oui, une idée de Tania, elle dit que ça me va bien.

Dans la salle à manger, mon frère est en train de servir l'apéritif et m'accueille avec un faussement effrayé *aaah ! un clochard a réussi à pénétrer dans la maison !* Anna m'embrasse en me souhaitant un joyeux Noël, ses seins frôlent mon bras, j'ai un début d'érection – j'ai facilement des débuts d'érection les lendemains de beuverie, je doute qu'il existe quelque part un manuel médical qui explique ça.

— Eh Bukowski ! Qu'est-ce que je te sers ?

Mon foie : Un grand verre d'eau gazeuse s'il te plaît.

Moi :

— Un gin tonic s'il te plaît.

Des guirlandes ornent le plafond et forment une toile d'araignée dont le lustre constitue le centre. Dans le coin de la pièce, l'incontournable sapin avec, à son pied, une dizaine de cadeaux de tailles différentes dont au moins un m'est probablement destiné. J'ai toujours une certaine appréhension à l'idée de recevoir un cadeau de mes parents, les cadeaux étant un étalon assez fiable de l'image que les autres ont de vous. En général, je préfère ne pas savoir comment mon entourage me perçoit. Mais à Noël, on n'y échappe pas. Le cadeau-étalon. Et le regard soutenu pour vérifier qu'ils ont fait mouche. Et votre joie factice en découvrant qu'une fois de plus ils ont mis à côté. Et l'écart qui se creuse d'année en année entre celui que vous êtes et celui que l'on croit que vous êtes – celui que l'on veut que vous soyez.

Me traverse alors le problème du cadeau que je vais devoir faire à mon frère. Qu'est-ce qu'on peut offrir à quelqu'un qui a déjà tout ?

Un paquet rempli d'un assortiment de médiocrités, de fausses notes, de pieds dans une merde de chien, de silences gênés, de veulerie, d'hypocrisie, d'acné purulente… À part ça je ne vois pas ce qui manque à mon frère – et je n'aurais rien à débourser, j'ai tout en stock.

Quant à Anna, une nouvelle position, *le violoniste astigmate sur le distributeur de la Caisse d'épargne* par exemple, ferait l'affaire – encore un début d'érection.

Le repas se passe très bien, pendant une heure je parviens à oublier mes soucis. Pendant une heure j'arrive presque à retrouver l'innocence des repas de Noël de mon enfance. À de nombreuses reprises même, je me surprends à rire de bon cœur. Il faut dire que le peu de vin que je prends ajouté aux restes d'hier fait son effet. Non seulement mon frère est surexcité, chose habituelle, mais tout le monde semble tenir la forme, mon père ira jusqu'à se lancer dans des imitations de personnages de l'actualité brûlante comme Georges Marchais ou Jean Lecanuet.

Arrive l'heure du saint-honoré et de l'échange sacré. Une légère angoisse me reprend. Je réitère mes excuses pour mon oubli. Personne ne se formalise. Chacun est trop content d'offrir son cadeau et d'observer la réaction du chanceux qui va se retrouver avec une cafetière programmable ou un pull en laine à losanges.

Nous nous agglutinons autour du sapin en produisant des *aaah* répétitifs et sans beaucoup de sens. La tradition – plus précisément celle de notre famille – veut que nous débutions par le plus âgé. C'est donc mon père qui reçoit ses cadeaux le premier. Une nouvelle canne à pêche, une épuisette et un énorme poisson en plastique, cadeau-blague de mon frère – c'est aussi une de nos traditions : au milieu des cadeaux sérieux, quelqu'un se charge de placer une petite farce, pour l'ambiance. Donc cette année, c'est le gros poisson. Mon frère lui dit *ne te plains pas, il est plus réel que tous ceux que tu pêches*. Nous rions tous assez fort. (Soit dit en passant : heureusement que mon père s'est mis à la pêche, nous sommes parés pour plusieurs années encore sans avoir à faire preuve de la moindre imagination pour les cadeaux.)

Vient ensuite le tour de ma mère. Un abonnement à *Princesses et Clafoutis*, le mensuel des princesses et des clafoutis, et un mixer multifonction jaune pétard (sur le carton d'emballage, une photo du mixer posé sur une table à côté d'une famille manifestement heureuse de vivre, il est inscrit dessous, en minuscule : *suggestion de présentation*). Et comme chaque année ma mère se met à pleurer d'émotion. Elle pleurerait quel que soit le cadeau, un lot de serpillières, un album de Nine Inch Nails, un tablier avec des faux seins. C'est comme ça, c'est nerveux.

C'est à moi. Je suis anxieux. Anna me tend un paquet de forme parallélépipédique assez lourd. Je suis mal à l'aise, je répète *il ne fallait pas* un peu absurdement. J'enlève minutieusement le papier de façon à ne pas le déchirer, ma mère tient à le récupérer. L'opération me semble durer des heures mais je finis par y arriver. C'est un livre, un livre énorme et magnifique à la couverture toilée, *Derrière le rideau ou Toutes les facettes du théâtre* par Joshua Tannenbaum, Abraham Cohen-Solal et Jacob Konnisberg. Je suis véritablement ému, je crois que c'est le premier Noël de ma vie où mon cadeau n'a pas cinq ans de retard sur moi. Je les embrasse tous très chaleureusement – mon père aussi, même si je sais qu'il découvre le cadeau avec moi.

Je passe le reste de la distribution avec mon livre sous le bras, comme un gamin qui ne veut pas poser ses nouvelles chaussures. Après mon frère (un sweat à capuche *America Winner Force* et un jeu d'échecs) et Anna (un coffret d'aquarelle, un sac à main jaune pétard et une boîte de chocolats qu'une tante a offerte à mes parents, qu'Anna offrira aux siens et que ceux-ci offriront à un grand-oncle et ainsi de suite, de ces increvables boîtes de chocolats premier prix qui ont fait dix fois le tour de France et qui verront s'éteindre l'humanité – sans jamais avoir été ouvertes), il reste encore un paquet sous le sapin. Je n'y prête pas particulièrement attention jusqu'à ce que ma mère le prenne et me le tende.

— Tiens, pour Tania. Dommage qu'elle ne soit pas là avec nous. Tu l'embrasseras très très fort de notre part à tous et je t'interdis de l'ouvrir avant elle.

Je prends le paquet et mon moral chute à nouveau vertigineusement.

## 76

Retour chez moi. Je fume cigarette sur cigarette en fixant le paquet posé sur la table. Il m'a
suffi d'un cube rouge orné d'étoiles et de feuilles
de houx pour retomber au plus bas. On a connu
moral plus stable.

De temps à autre, j'essaie de me prendre en
main et ouvre au hasard le livre sur le théâtre.
Mais rien n'y fait : je ne distingue que des pattes
de mouches, deux minutes plus tard je suis à
nouveau assis, clope au bec, les yeux à dix centimètres du paquet. Je n'éprouve aucune envie
de l'ouvrir, au fond je me fous du contenu, c'est
le geste en lui-même qui m'a assommé. Non
content de m'imposer à nouveau le visage de
Tania alors que j'étais parvenu à m'en détacher
quelques heures, il était d'une tristesse pathétique, si lourd de déceptions à venir pour mes
parents que c'en était presque douloureux – eux
qui se voient déjà avec des petites Tania courant
entre les chaises de la cuisine et pleurant pour
aller à EuroDisney... J'en regrette presque tout

ce que j'ai fait, tout ce manège pour rassurer mes parents... Il vaut mieux avoir toujours été seul que le devenir, c'est moins douloureux pour votre entourage. La solitude permanente, arrivé à un certain palier, on peut donner l'illusion que c'est par choix.

Je réalise alors que je n'ai jamais présenté Claire et Julien à mes parents. Voilà qui leur ferait du bien. Ils sont au courant que j'ai un couple d'amis chez qui je mange – mangeais – régulièrement, peut-être que les rencontrer les rassurerait totalement. Pourquoi ne l'ai-je jamais fait ? Peut-être que je ne me sens pas la force d'assumer deux de mes facettes à la fois, en l'occurrence le fils et l'ami. J'ai le sentiment que seuls les plus équilibrés en sont capables, ceux qui sont assez forts pour être un seul et unique en permanence, avec n'importe qui.

Je continue de fixer le paquet et pense à Claire et Julien. Je crois qu'ils me manquent. J'aimerais tellement pouvoir partager ça avec eux, Tania, Figurec, pouvoir enfin tout lâcher. Mais je suis parfaitement conscient que ce serait égoïste, égoïste et dangereux. Tout le monde n'a pas la chance d'avoir des parents troubles pour vous protéger sans le savoir. Du coup, je me remets à penser à la facture et sens poindre une migraine, contrecoup de la gueule de bois qui s'était calmée.

# 77

Je trébuche à plusieurs reprises dans la cage d'escalier plongée dans la pénombre. Il ne manque plus qu'une paire de junkies Figurec affalés pour se croire en plein Brooklyn – bien que je n'aie jamais été à Brooklyn de ma vie, force des clichés.

Sa porte ne détonne pas du reste. Quand il m'avait donné son adresse, j'avais failli la déchirer illico, je ne voyais pas pourquoi j'aurais l'occasion d'aller chez lui. Je ne savais pas encore qu'il allait me devenir indispensable.

Je toque. Il hurle qu'il n'a besoin de rien aujourd'hui. Je me présente d'une voix assez puissante pour traverser la cloison mais relativement tamisée par la gêne, comme si j'avais peur de voir débouler des flics, une équipe de télévision ou une voisine bavarde. La porte s'ouvre, il m'accueille en peignoir ouvert sur rien, sa bite est minuscule et circoncise.

— Ça va pas de réveiller les gens à dix-huit heures...

Il m'invite à entrer et à m'asseoir sur le canapé pendant qu'il s'habille, le jeu consistant à trouver le canapé sous les vêtements, les revues, les bouteilles vides et les emballages carton qui annoncent fièrement *Rapid'za, chez vous avant que vous ayez pu dire pizza.*

Au milieu de la pièce se dresse une espèce de sculpture de très mauvais goût, visiblement faite en papier mâché et dont on ne sait pas si elle représente un discobole ou une grue. Je finis par m'asseoir et attrape au hasard une revue où une fille à genoux hésite entre plusieurs sexes d'hommes.

— C'était pas trop le bordel chez toi ce matin ?

— Sur quelle échelle ? Par rapport à ici, ça allait à peu près…

Sur le mur en face de moi, un énorme poster d'une chaîne de montagnes, unique touche de fraîcheur dans ce débarras aux bacilles palpables.

— Que me vaut ta visite ? T'es venu me rendre mon fric ?

— Je me demandais si ça vous dirait d'aller boire un coup et manger un morceau.

— Désolé, faut que j'aille bosser. Heureusement que t'es passé d'ailleurs ou j'arrivais encore à la bourre. J'ai église dans un quart d'heure…

## 78

Je frappe trois coups hésitants, on les entend à peine, peut-être qu'au fond je ne veux pas qu'on les entende, ça faciliterait bien des choses. Je me donne dix secondes avant de repartir, Julien ouvre la porte à sept. Son visage s'illumine, il a l'air sincèrement heureux de me voir, il dit *quelle bonne surprise* et je le crois – bien que cette exclamation signifie en général le contraire de ce que l'on ressent réellement. Nous nous embrassons en nous souhaitant *Joyeux Noël*. En fait, comme tous les gens pudiques, nous disons *Noyeux Joël*.

J'entre dans un appartement que je découvre : tout a changé, je ne reconnais plus rien. Comme la sensation bizarre que cet appartement est le fils de celui que je connaissais. Tout y est rajeuni de vingt ans. La table en chêne massif qui trônait au milieu du séjour a laissé la place – donné naissance ? – à une minuscule table basse orange qui ajoute trente mètres carrés à la superficie de la pièce. Des rideaux sont apparus çà et là, des rideaux rouges bariolés, genre tapis marocain, mais en rideaux. Il me semble que la tapisserie aussi a changé : bien que j'aie oublié l'ancienne, je doute que ce fût déjà ce vert pomme sorti tout droit d'un livre d'illustrations pour enfants, de ces couleurs qui n'existent que là d'ailleurs, qu'on ne voit jamais dans la vraie vie, du moins jusqu'à aujourd'hui. Détail apparemment insignifiant mais hautement symbolique : plus la moindre trace de disques. Fin d'une époque. Ainsi donc c'est ça : ils ont décidé d'être *autres*.

— Tu bois un coup ?

Je dis *oui pareil que toi* à ce presque inconnu : ses vêtements sont ceux d'un jeune. En général, il n'y a rien de plus ridicule qu'un trentenaire avec des vêtements de jeune. Là non. Peut-être que le mental a suivi. Peut-être que ses anciens vêtements ne reflétaient plus celui qu'il était vraiment. Peut-être que le vieux con pathétique, c'est celui qui croit que le vieux con pathétique c'est l'autre.

Il me tend un verre de liqueur de fruits de mer et nous trinquons. Puis nous nous lançons en pilotage automatique dans une discussion futile jusqu'à l'inexistence. Bizarrement nous n'abordons pas le thème de leur nouvelle déco, nous occultons totalement les causes de leur subite mutation, un peu comme un type qui viendrait juste de se faire amputer des deux jambes et qui vous parlerait de la rentrée littéraire. J'en souffre énormément. Je suis dans une période où j'ai besoin de clarté, de transparence, de mises à plat, de réalités tangibles, je brûle d'envie de me lancer, lui demander le plus innocemment du monde, genre très détaché, comme ces animateurs d'émissions culturelles : *Alors Julien, ce brusquement changement de direction, pourquoi ?* Je ne dis rien. Je me contente de m'indigner mollement avec lui de la qualité médiocre des journaux télévisés.

À cet instant, Claire entre dans la pièce en se séchant les cheveux avec une serviette. Passé une expression de surprise, elle aussi paraît enchantée de me voir. Ses cheveux sont d'une couleur bizarre... Elle a fait un henné – un henné ! Il ne manque plus que les pattes d'ef. D'ailleurs elle a des pattes d'ef. Elle m'embrasse et me souhaite *Joyeux Noël*. Elle me dit que la barbe me va bien, je lui rappelle un acteur, elle a oublié le nom, elle l'a sur le bout de la langue, ça va lui revenir.

— Tu lui as donné le cadeau ?

— Non, je t'attendais...

Un cadeau... Merde... Pour eux aussi j'ai complètement oublié. Claire va chercher un gros paquet dans le coin de la pièce (sous un poster d'une toile de Tàpies, ça aussi c'est nouveau) et, rayonnante, me le tend du bout des bras. Je suis aussi ému qu'embarrassé. Je leur explique qu'en ce moment j'ai la tête ailleurs, les leurs sont chez moi, je suis sûr que ça leur plaira, ils me répondent que ce n'est pas la peine que je leur offre quoi que ce soit. Caractéristique des vrais amis : ils n'entendent pas vos mensonges, ils n'entendent que votre cœur.

Je déchire nerveusement le papier, j'ai l'impression de couvrir leur carrelage d'un tas de confettis. (Tiens, en fait de carrelage, c'est devenu de la moquette.) Au terme d'un temps indéterminé pendant lequel ils me fixent avec leurs sourires figés, je finis par découvrir un livre, un livre énorme et magnifique à la couverture toilée, *Avant les trois coups ou Toutes les facettes du théâtre* de Sigmund Levy, Isaac Weinstein et Moïse Iskowitz. Je suis fou de joie, je me jette dans leurs bras, en larmes, et les embrasse en répétant entre deux spasmes *mes amis mes amis je croyais vous avoir perdus*. Des mains me tapotent les omoplates, me caressent les cheveux, me pressent les épaules. Je me calme subitement quand je découvre qu'ils échangent des regards gênés.

— Je... Je suis désolé, je ne sais pas ce qui m'a pris, je suis crevé en ce moment...

— Ne t'excuse pas, c'est plutôt à nous de nous excuser... On vient de passer par une période d'un... comment dire... d'un égocentrisme vital... On a occulté beaucoup de choses pendant ces semaines pour sauver notre couple... Et puis, il n'y a pas que ça, tout n'est pas si simple...

Claire lui lance une œillade que j'ai du mal à cerner et qui a pour effet de le faire taire immédiatement. Peut-être a-t-il été superbement censuré alors qu'il allait me fournir des explications à propos du fameux Henri. Il semblerait que la plaie ne soit pas définitivement fermée et que ce prénom picote encore un peu.

De manière assez subite et comme chaque fois que nous voulons nous éloigner de rivages sablonneux, nous nous mettons à parler de ma pièce. Ma pièce qui avance malgré quelques péripéties en début de parcours. J'improvise des anecdotes à base de mauvaise actrice imposée par la production, d'acteur boulimique, de star exigeante et, ce faisant, je prie pour qu'ils n'aient jamais vu *Coups de feu sur Broadway*.

Durant toute la discussion, Claire et Julien sont assis sur le canapé, collés l'un à l'autre, et se donnent la main. De temps en temps s'échappe une caresse discrète sur la cuisse ou un timide baiser sur la joue et je réalise que c'est la première fois que je les vois sous cet angle.

Dire qu'ils m'avaient habitué à des rapports assez distants serait loin de la réalité : pour moi, leurs sphères intimes respectives étaient deux aimants polarisés du même signe et il leur était impossible de s'approcher l'un de l'autre à moins d'un mètre sans qu'elles se percutent comme deux boules en caoutchouc, *chtoing*, et se retrouvent aussitôt aux deux extrémités de la pièce. Je m'étais fait à cette image : deux entités en permanence séparées par des discussions interminables entre Julien et moi – la plupart du temps des broutilles de lycéens – auxquelles Claire prenait rarement part. Je commence à comprendre en les voyant maintenant que mon rôle est devenu caduc.

Je pars avant l'heure du repas en prétextant un rendez-vous avec l'un des acteurs, le boulimique, nous devons revoir ensemble un passage qui mériterait d'être joué de façon différente, nous allons en discuter. Personne ne s'étonne de ce rendez-vous un 25 décembre en fin d'après-midi. Tout le monde est trop heureux d'échapper au moment moite de l'invitation à dîner – ou de la non-invitation. Ils tiennent à préciser que je peux passer quand je veux, que je suis toujours le bienvenu. Précision qui vient corroborer mon appréhension : je suis en train de perdre mes seuls amis – on ne précise pas à un ami qu'il peut passer quand il veut.

# 79

## *Acte I*, scène 1

*Épitaphine et Jean-Certain fixent le paquet
sur la table.
Ils se demandent s'ils doivent l'ouvrir.*


*Épitaphine* : Ce cadeau ne nous est pas destiné, je crois que Pierraliste nous en voudra terriblement si nous l'ouvrons à sa place…

*Jean-Certain* : Après tout, il n'a qu'à être là, les absents ont toujours tort.

# 80

— C'est d'un chiant ces messes de Noël… Tu sais quoi ? Je me suis endormi et c'est le cureton en personne qui est venu me réveiller. J'étais seul dans l'église, tout le monde s'était barré, c'était fini depuis un quart d'heure… T'imagines le malaise… Je voyais que ça lui faisait pas super plaisir que j'aie dormi pendant son speech… Alors pour détendre l'atmosphère tu sais ce que je lui ai dit ? *Votre truc c'était vraiment bien mais je l'avais déjà vu…*

Il éclate de rire, il en renverse presque son apéritif. J'ai mal à la tête, tous les bruits du café me parviennent décuplés, décuplés et brouillés. J'ai très mal dormi, nuit quasi blanche et, pendant les rares moments de somnolence, des cauchemars récurrents. J'ai le souvenir d'un en particulier dont les scènes me sont restées avec une précision incroyable. Je suis chez Claire et Julien. Ils sont assis en face de moi sur le canapé, serrés l'un contre l'autre. Je suis en train de raconter quelque chose d'extrêmement ennuyeux sur l'histoire de la pêche à la truite. À mesure que je parle, Claire et Julien se font de plus en plus lascifs. Ça commence par des petits baisers, puis des caresses de plus en plus appuyées, puis ils ôtent leurs vêtements et finissent par faire l'amour devant moi, sur le canapé. Je me sens obligé de faire comme si de rien n'était et continue mon monologue. Au milieu de leurs ébats, Claire devient Tania. Elle prend beaucoup de plaisir. De temps en temps elle m'observe en souriant. Je continue à parler de plus en plus fort pour couvrir ses râles assourdissants. Je finis par hurler des techniques très précises de pêche à l'épuisette par-dessus ses exhortations obscènes. Sur le canapé apparaît tout à coup Bouvier qui se masturbe en riant. C'est peut-être pour ça qu'aujourd'hui je le trouve beaucoup moins drôle.

— Qu'est-ce qu'y a ? Tu fais la gueule ?

— J'ai très mal dormi.

— Ah, je vois... ta rage de dents...

Le garçon a encore changé un détail dans sa tenue sans que je parvienne tout de suite à deviner quoi, il me faut quelques secondes pour trouver : il arbore fièrement des gants d'un blanc immaculé. Il nous tend la sempiternelle carte, je l'attrape machinalement, l'ouvre pour choisir le petit salé aux lentilles et tombe sur un post-it collé au beau milieu du menu.

*Je suis au courant pour votre problème,*
*je connais bien le syndrome, je suis médecin Figurec.*
*Il faut impérativement que nous nous voyions.*
*Je suis là pour vous aider.*

Je suis abasourdi. Je dévisage ce jeune garçon, il hoche imperceptiblement la tête pour me confirmer que c'est bien lui que désigne ce morceau de papier jaune. Ma vue finit de se brouiller complètement, je suis saisi de tremblements que je ne parviens pas à maîtriser, mon cœur bat si fort qu'il ne va pas tarder à finir sur la nappe à carreaux, tout se met à tourner, Bouvier semble me parler mais je ne l'entends pas, je vois seulement ses lèvres qui bougent de manière ridicule, je me regarde me lever, agripper le serveur par son nœud papillon flambant neuf, je m'entends hurler.

— Je n'ai pas besoin de votre aide, je n'ai besoin de l'aide de personne, allez vous faire foutre avec votre syndrome, je ne suis pas malade ! C'est vous qui êtes tous malades ! Vous cherchez quoi exactement ? Vous voulez m'enfermer ? C'est ça ? Vous voulez me passer la camisole comme un vulgaire taré ? Me parquer dans un de vos souterrains secrets avec d'autres tarés de mon espèce ? Mais moi vous m'aurez pas ! C'est pas une secte à la con qui doit me dire ce que j'ai à faire ! Vous vous prenez pour qui ? Le Troisième Reich ? J'emmerde Figurec, tu comprends ça petit morveux, j'emmerde Figurec et je vous emmerde tous !

J'envoie valser la table, sors, fais demi-tour sur le pas de la porte, entre à nouveau, m'empare d'un verre au hasard sur le comptoir et le lance de toutes mes forces, il va s'éclater contre le mur de l'autre côté de la salle, je sors définitivement – j'ignore ce qui m'a poussé à revenir pour faire ça.

# 81

Philippe Manœuvre devait réellement être un personnage exceptionnel. Tout le monde ici le pleure à chaudes larmes. Peut-être le fait de s'appeler comme quelqu'un de connu pousse-t-il à se surpasser, à se faire remarquer d'une autre manière, à prendre la vie à bras-le-corps. De ces minuscules handicaps qui font éclore des perles de bonté – ou des monstres de tyrannie.

Soit il n'y a ici personne de Figurec, soit la famille Manœuvre a les moyens de se payer la crème des crèmes : on a beaucoup de mal à dénicher la moindre peine simulée. Celles que je suppose être sa femme et ses deux filles sont postées devant le tombeau et sanglotent en silence, leurs frêles épaules oscillant à peine. La pierre arbore une photo noir et blanc d'assez grand format : le portrait souriant du défunt, de ces sourires qui respirent le dévouement absolu. Il ressemble de manière saisissante à Francis Blanche – décidément ce pauvre type n'avait pas grand-chose à lui. Mort d'une ombre.

L'assistance se met en position pour cette épreuve inhumaine qu'est le serrement de main. La famille se regroupe, immobile, condensé de malheur dans cette grappe de six ou sept corbeaux noirs. Nous – nous, c'est-à-dire les hyènes – formons très vite une queue régulière, vulgaire file de cinéma un samedi après-midi sous l'affiche d'une comédie familiale à gros budget. Nous nous apprêtons, chacun son tour, à compatir, à partager, à remuer du souvenir tout en scrutant la moindre larme larvée, à nous repaître de ce qui pourrait ressembler de près ou de loin à de la douleur, à capter chaque spasme, chaque frisson, être celui sur qui l'épouse – voire, sait-on jamais, la petite cadette – va craquer, va exploser de souffrance. Avoir des morceaux de détresse sur son blazer de cérémonie. Avoir cet honneur.

C'est à moi. J'arrive devant la femme qui tend mécaniquement son avant-bras rigide, perpendiculaire à son corps rabougri, les yeux trempés et éteints. Je lui prends la main, nous nous regardons, je m'écroule en sanglots sur son épaule, elle me suit dans la seconde. Nous nous lançons dans un concerto de pleurs déchirants, entrecoupé des seuls mots que nous soyons capables de prononcer : *c'est trop dur*. Nous nous consolons mutuellement, nous nous faisons du bien. Sorte d'étreinte sexuelle morbide.

[FIGUREÉ]

## 82

J'ai un peu honte d'arpenter les rues avec ce paquet dans les mains. Qu'il soit orné d'un nœud rose bonbon y est peut-être pour quelque chose mais pas seulement : je crois qu'on se sent mis à nu dès lors qu'on se promène avec un cadeau. Comme ce rêve de collégien où l'on se retrouve en pantoufles dans la cour.

Le Manœuvre m'a fait du bien. En rentrant chez moi aussitôt après, j'ai compris pourquoi j'avais du mal à faire le deuil, du moins en partie. Ce paquet posé au milieu de la table, même si je m'en défendais, n'était rien d'autre que la personnification de Tania. Je me refusais à le toucher, a fortiori à l'ouvrir, pourtant j'aurais donné n'importe quoi pour qu'il soit toujours là, au milieu de ce néant qu'est mon appartement – et, accessoirement, ma vie.

(Ce qui, au passage, m'a amené à me poser une question qui ne m'avait jusqu'ici jamais effleuré : comment font les gens qui incinèrent un proche et installent le vase de cendres sur le rebord de la cheminée pour faire le deuil ?)

Je balaie l'intérieur du bar d'un coup d'œil à travers la vitre, elle ne semble pas y être. Peut-être va-t-elle arriver d'une minute à l'autre. Je vais m'attabler et l'attendre. Le chêne est encore là, accoudé au comptoir, et me reconnaît. Je tente de rester le plus naturel possible, passer devant lui en parfait amnésique pour m'asseoir au fond de la salle, mais il me barre la route de sa grosse main de boxeur.

— Où est-ce que tu comptes aller comme ça ?

(Sa voix très douce contraste avec sa question, qui pourrait faire frémir avec une octave de moins et des décibels en plus.)

— Je ne suis pas là pour faire des histoires. Je viens juste boire un café et donner un cadeau à Tania.

Il scrute le paquet puis me regarde un moment à hauteur des cheveux. Il finit par enlever sa main posée presque délicatement sur mon plexus et retourne à son demi. Je traverse la pièce et m'assois à la table de notre dernière entrevue catastrophique, je ne suis pas superstitieux.

Au bout d'un moment, il me rejoint avec mon café et son verre de bière.

— Je peux ?

— J'espérais une autre compagnie, mais en attendant…

Ses gestes précis et harmonieux sont toujours en parfaite adéquation avec sa carrure massive, comme si, dès sa naissance, il y avait eu erreur de casting divin. Il glisse la tasse devant moi et avale une gorgée de bière. Son crâne est rasé, luisant, genre M. Propre. (Si Figurec prenait le marché c'est lui qui aurait le rôle.)

— Il faut que je vous dise... Sylvie... enfin, Tania ne viendra pas aujourd'hui.

— Pourquoi ça ? Qu'est-ce que vous en savez ?

— Ne vous emportez pas, vous ne pouvez vous en prendre qu'à vous-même... Le Grand Conseil a eu vent de vos petits caprices et a choisi de l'éloigner un certain temps de vous, pour le bien de Figurec mais aussi pour le vôtre à tous les deux...

— L'éloigner ? Comment ça l'éloigner ?

— Elle a été mutée dans un secteur différent. Je n'en sais pas plus et même si j'en savais plus, je ne vous dirais rien... Sans le vouloir, vous, vous et les autres, lui avez fait beaucoup de mal... Ce changement lui sera bénéfique...

— Moi ? Comment aurais-je pu faire du mal à Tania ?

— La réponse est dans la question : Tania n'existe pas. Pas plus que Marie-Ange, Brenda, Naomi ou Ornella. Tous ces prénoms, toutes ces personnes que vous vouliez qu'elle soit, tous autant que vous êtes, ne l'avez jamais aimée. Vous vous aimiez d'abord vous à travers une image que vous aviez fabriquée, vous vous payiez un miroir de luxe dans un narcissisme des plus pervers – et des plus coûteux, mais ça c'est votre problème. Oh, je ne doute pas une seconde que vous ayez aimé Tania et que vous l'aimiez encore. De la même façon que Dugland a aimé Ornella et Dugenou a aimé Brenda. Mais Sylvie, elle, n'a jamais été aimée... Pendant que ses marionnettes servaient de faire-valoir à des égotistes détraqués, Sylvie souffrait de solitude... Pouvez-vous me dire seulement qui est Sylvie ? Quels sont ses goûts, ses attentes, ses rêves ? Non, évidemment. Pendant qu'elle attendait désespérément que quelqu'un s'intéresse à l'envers du décor, vous vous astiquiez le nombril. Alors maintenant ne venez pas pleurer. J'ai bizarrement de la sympathie pour vous, cependant vous ne valez pas mieux que les autres. Vous savez, je ne crois pas au fameux syndrome Figurec selon lequel le malade aurait du mal à faire le distinguo entre fiction et réalité et qu'il oscille en permanence entre les deux. Je crois plutôt que le malade a choisi de son plein gré de s'immerger totalement dans la fiction parce qu'il y est plus à son avantage, parce que c'est le seul endroit où il se sent exister, où il se sent être quelqu'un... Vous pouvez consulter un médecin Figurec si vous le souhaitez, mais à mon avis ça ne servira à rien...

Je vois une larme tomber dans mon café déjà pas terrible. Le chêne allume une cigarette, le paquet-cadeau est posé sur la table un peu bêtement, entre nous deux.

— Vous êtes marié ?

— J'ai une petite amie. Une vraie...

— Tenez, vous lui offrirez ça, vous n'aurez qu'à dire que c'est de la part d'un cousin
éloigné.

— Qu'est-ce que c'est ?

— Aucune idée.

## 83

— Tu tiens vraiment à te faire descendre ? Écoute mon gars, si tu veux te mettre une balle dans la tête, très bien, c'est ton problème, à part tes vieux, et encore, tout le monde s'en fout. Mais évite de mettre les autres dans la merde ou je vais t'aider à en finir avec tes jours moi et je te jure que ça traînera pas... T'imagines dans quelle panade tu nous mets ? Un médecin, mon gars, un médecin ! C'est pas un employé comme les autres, lui. Lui, il reçoit pas son contrat par téléphone ou par la poste comme moi. Il les connaît, lui, les grands pontes et, à mon avis, il va pas se gêner pour aller cafter... Tu te crois où ? Tu peux gueuler ce que tu veux, où tu veux, j'en ai rien à foutre, tu peux aller manifester à poil sur la place publique en faveur de l'eugénisme ou de la pédophilie si ça te chante, ça aura toujours moins de retombées que de hurler des trucs sur Figurec dans un snack plein à craquer... Heureusement qu'on a pu rattraper le coup après ton départ et qu'on t'a fait passer pour un grand psychopathe, ce que d'ailleurs je suis pas loin de penser... Maudit soit le jour où je t'ai mis au jus... Avec tes conneries je vais finir chez Informatex que ça va pas traîner... Tu sais comment ils les traitent les détenus chez Informatex ? Tu le sais ? Non, évidemment, tu sais rien toi, ça se voit, rien te fait peur... Remonté à bloc par la connerie de la jeunesse... Informatex, c'est l'écran d'ordi de huit heures à dix-huit heures et t'as pas le droit de toucher au clavier. Aux détenus on leur enlève *le solitaire* et *le démineur*, t'as droit à rien, pas de mots croisés, pas de bouquin, et pour alourdir la peine t'as un voisin de bureau, généralement un pied-noir, payé pour venir chaque dix minutes te raconter un *monsieur et madame ont un fils*... Non, tu entends, je veux pas revivre ça, si je dois replonger, je te promets que tu replongeras avec moi...

— Je ne voulais pas... Je m'excuse...

— C'est pas à moi que tu dois les filer tes excuses à deux balles. Si tu tiens à calmer le jeu, faut que t'ailles t'excuser auprès du médecin, et le plus vite sera le mieux. À ta place j'irais dès demain matin, même si ça changera pas grand-chose... Cette fois, ils te feront pas une autre fleur, ils regarderont pas si tes parents sont bons clients, y'a des limites à pas dépasser...

De rage, il engloutit ses raviolis par grosses fourchetées de dix. Je me doutais en l'invitant à manger chez moi que j'aurais droit à la morale mais je crois que je m'attendais à ce qu'il soit plus déchaîné. Au fond, je l'ai aussi invité pour ça : pour que la diatribe soit moins violente – on ne tabasse pas les gens qui vous invitent à manger, fût-ce une boîte de raviolis premier prix.

Il se calme progressivement et recommence à piquer parcimonieusement ses raviolis un par un. Son expression redevient celle d'un humain à peu près approchable.

— Bon, et avec ta Tania, c'en est où ?

— Envolée...

Une boule se forme dans ma gorge et obstrue tout développement. Je replonge dans mon assiette pour éviter de croiser ses yeux.

## 84

Au terme d'une déambulation urbaine de près de deux heures, ponctuée de cafés réguliers et salvateurs, je dois me rendre à l'évidence : je suis complètement désœuvré et je n'ai plus de monnaie pour un dernier café.

Je décide d'aller chez mes parents, ils n'y sont pas aujourd'hui, repas de post-Noël chez des oncles précambriens auxquels j'échappe habilement tous les ans. Excuse imparable : j'ai trente ans, on n'a plus le droit de m'imposer ma famille. J'ai purgé ma peine.

Je me sens toujours dans un état bizarre quand je glisse ma clé dans cette serrure, chose qui m'arrive en fait assez rarement. Des images...

## 85

(Seize ans, six heures du matin, je rentre d'une fête, je suis complètement saoul, je plante la clé dans la porte tout autour de la serrure, je dois m'y reprendre à dix fois pour trouver le trou, à l'intérieur ma mère m'attend en robe de chambre, panique totale, elle me demande si j'ai vu l'heure, je me concentre pour marcher à peu près normalement, je force le normal, qui devient totalement anormal, burlesque, épreuve de l'oral, je m'entends prononcer chaque syllabe, une sur trois est complètement à côté, *ça a duré plus longtemps qure pévu*, ce genre de choses caricaturales, je me force à rester un moment dans la cuisine pour faire naturel, je bois un verre d'eau, en montant l'escalier je lève les pieds excessivement haut comme si chaque marche mesurait soixante centimètres, la chambre, enfin, sauvé. Un quart d'heure plus tard ma mère m'entend vomir bruyamment dans les toilettes.)

... me traversent, saynètes surgies du néant.

À l'intérieur, chacun de mes mouvements semble résonner comme dans une grotte, je n'ai pas l'habitude de voir cette maison vide. Impression mortuaire, angoisse prémonitoire de ce qu'il me faudra affronter dans, disons une quinzaine d'années.

Première étape : un autre café. Je m'assois en fumant une cigarette dans le borborygme chaud et rassurant de la cafetière en jetant de brefs coups d'œil dans les recoins de cette cuisine que, finalement, je ne vois plus depuis belle lurette. Rien n'a bougé d'un millimètre. Je ne serais pas étonné que les post-it sur le frigo soient les mêmes qu'il y a cinq ans – *rendez-vous chez l'ostéopathe, jeudi 17, 14 h 30*. 14 h 30 souligné deux fois.

En buvant mon café, j'erre au hasard à travers les pièces, le sapin est encore là, je ne repense pas au paquet de Tania, je ne repense pas au paquet de Tania. Ma Tania. Ma Tania qui a donné vie à ce lieu durant quelques semaines, à peine le temps de l'imprimer à jamais de son absence insupportable. Il faut que j'arrête de penser à ça, il faut que j'y arrive. Ce sapin devrait m'évoquer des cadeaux d'enfance, voyons, quel est le cadeau qui m'a le plus marqué – excepté Tania ?

En me concentrant, je parviens à construire des images mentales dont Tania est exclue : le souvenir d'un Noël particulièrement radieux où j'explose de joie en découvrant sous le papier rouge la boîte de Playmobil que j'avais espérée des nuits durant – la boîte *Bateau corsaire*.

Je gravis trois à trois les marches de l'escalier vermoulu qui mène au grenier, il faut que je retrouve cette boîte, peut-être parviendra-t-elle à effacer une partie de mes idées noires. Je ne sais pas pourquoi je ne suis pas retourné plus souvent dans ce lieu, si lourd de passé feutré, antre de ma petite cosmogonie. (Au fond, je sais très bien pourquoi : je me suis toujours refusé à exprimer la moindre nostalgie en présence de mes parents, j'avais trop peur que ça signifie que mon présent était miteux, ce qui, subitement, m'apparaît parfaitement ridicule.)

Je pousse la porte aux gonds grippés et le découvre exactement comme dans ma mémoire : un joyeux bordel fait de souvenirs en purgatoire, des objets qu'on ne garde pas vraiment mais qu'on ne jette pas vraiment non plus. Des cartons, des vieux meubles, des piles de livres, des cartons, un vieux vélo d'appartement, deux fauteuils en parfait état, des sacs de fringues, des cartons. Je fouille un moment dans cet extraordinaire bazar, unique secteur de la maison où la tolérance zéro du désordre est mise entre parenthèses, où l'habituelle rectitude de mes parents se dévergonde, on a le droit, c'est un grenier. Impossible de mettre la main sur cette boîte. En revanche, je tombe au gré des cartons ouverts sur quelques perles : une photo de mon frère et moi, casquettes à l'envers et pantalons en velours dans les chaussettes, en train de danser le smurf. Un jeu avec des billes de couleur qui tombent ou pas en fonction de languettes qu'on tire ou pousse. Un 45 tours, *When the rain begins to fall* de Pia Zadora et Jermaine Jackson (si Julien était encore Julien, ça ferait un excellent cadeau de Noël). Un sac US orné des Police-Trust-Téléphone-ACDC de rigueur, même si nous n'avions jamais entendu la moindre de leurs chansons. Un Big Jim avec un biceps qui gonfle – qui gonflait – quand on lui plie le bras. Une paire de tennis Nastase maculées de boue séchée. Une vieille BD qui représentait pour moi, à l'époque, un sommet volcanique de pornographie que je venais consulter en cachette en me tripotant l'entrejambe, et dont je constate aujourd'hui qu'on y trouve au maximum un sein qui dépasse à peine d'un chemisier.

C'est derrière ce dernier carton que je découvre un petit coffret en fer d'un gris glacial. Il attire immédiatement mon attention, c'est la seule chose qui ne semble pas à sa place ici. Je tente de l'ouvrir. Rien n'y fait, il est fermé à clé, de ces minuscules serrures de valise, ça suffit amplement à exciter ma curiosité.

Je descends chercher un marteau et un tournevis dans la boîte à outils de mon père et remonte, haletant. Je fais sauter la serrure du deuxième coup, le premier ayant principalement servi à m'éclater l'ongle du pouce. Je reste paralysé en découvrant le contenu.

Une montagne de factures et de contrats Figurec.

Il me faut souffler pour revenir à un rythme cardiaque décent. Après quoi, calmement, je m'assois en tailleur, et commence à éplucher le tas, feuille après feuille. La plupart des factures sont jaunies par le temps mais, au détail près, dont le logo qui s'est légèrement modernisé, elles sont semblables à celles en vigueur. Je me lance à corps perdu dans ce qui s'avère être une relecture de la vie de mes parents et, incidence inévitable, de la mienne.

Où j'apprends en vrac l'inexistence d'une galerie de personnages – dont certains croisés çà et là tout au long de ma vie. Le meilleur ami de mon père, Fernand Jouillé, son grand compagnon de guerre, avec qui il aimait se rappeler, un vin de noix à la main, des anecdotes parfois héroïques, souvent poignantes, toujours ennuyeuses. Une douzaine d'invités à leur mariage, dont un actif spécialisé dans la chanson populaire et un autre dans les histoires salaces qui font rougir les belles-mères – mission : égayer le repas. La cousine Irène, du même âge que ma mère, qui paraissait dix ans de plus, et venait régulièrement la voir pour l'envier et lui demander des tuyaux sur différents types de régimes ou de crèmes de nuit. Une famille de réfugiés des pays de l'Est que mes parents ont hébergés une nuit. Dès le lendemain leur geste suscitait l'admiration de tous et faisait la une des discussions de boulangeries. Une dizaine d'invités au pot de départ à la retraite de mon père. Des collègues de travail, soit de mon père, soit de ma mère, conviés à prendre l'apéritif à la maison. Un mendiant devant chez nous à qui ma mère donnait chaque jour cinq francs. Une virtuose du ragot pour une réunion Tupperware. Un sosie de Georges Guétary utilisé pour cette photo mythique : lui au milieu, serrant chaleureusement mes parents béats d'admiration. Je pourrais la décrire jusque dans les moindres détails tant elle nous a été servie à la moindre occasion, au moindre repas, à la moindre réunion de famille. Juste après les études de Théo, cette photo est probablement la plus grande fierté de mes parents.

À mesure que je lis, mes souvenirs subissent une mutation pénible, une réorganisation complète des images et des sons, une torsion assourdissante des évènements. Mon cerveau est chamboulé par un effet papillon infini, chaque petit détail qui mute entraînant dans son sillage des chantiers énormes de destruction, de ravalement, d'éradication.

Je fais une pause pour allumer une cigarette sous peine de voir ma cervelle éparpillée d'une minute à l'autre aux quatre coins du grenier. Je me force à examiner alentour pour détacher un peu mon esprit de ce coffret. Puis, la cigarette calée entre les lèvres, je reprends mon investigation. Au bout d'un moment, l'effet de chaos s'estompe, peut-être par habitude – ça devient vite récurrent, beaucoup de cérémonies et de connaissances de passage. Ou peut-être n'ai-je plus assez d'énergie pour assimiler ce que je lis.

C'est quand j'attaque les factures plus récentes que je tombe sur ce contrat.

Subitement, ces quelques lignes me font basculer dans une confusion douloureuse et relèguent la somme de tout ce que je viens de découvrir au rang d'insignifiante anecdote. Je vois défiler une année d'existence – si tant est que j'aie encore le droit de nommer *existence* ce dérisoire fatras de leurres et de faux décors. Je fixe un moment la feuille, la relis deux fois, trois fois, pour être sûr de n'être pas trahi par une hallucination perverse.

J'éclate en sanglots. J'éclate en sanglots et, même si ça ne sert à rien, j'envoie valser le coffret contre un vase kitsch qui explose en mille morceaux.

## 87

Je tambourine de mes poings serrés sur la porte. Elle s'ouvre au bout de quelques secondes.

— Ah c'est toi, mais... Qu'est-ce qui t'arrive ?

Sans un mot je brandis le contrat sous ses yeux. Julien blêmit, son expression devient cadavérique. Il se précipite à l'intérieur et va se servir un verre qu'il avale d'un trait. J'entre et ferme la porte derrière moi, il est appuyé à la table, me tourne le dos. Je l'entends respirer de là où je suis. Il sort un autre verre, remplit les deux et se retourne enfin : sa peau est d'un jaune presque phosphorescent, comme ces squelettes miniatures de fêtes foraines. Il me tend mon verre, nous nous asseyons chacun dans un fauteuil, face à face. Il pose la bouteille de liqueur sur la table basse entre nous. Nous avalons nos verres, il nous ressert.

— Claire n'est pas là, elle est sortie. Tant mieux d'ailleurs. Elle appréhendait cet instant... Je suis heureux qu'elle échappe à ça... Ne va pas t'imaginer qu'elle est allée voir Henri (il essaie de rire), non non, Henri n'existe pas... Il n'y a jamais eu de Henri. Henri c'est Figurec, encore Figurec, toujours Figurec... Un éclair de génie de Claire, ma petite Claire qui a eu du nez, les femmes ont décidément plus de nez que nous... Quand elle a senti que tout partait de travers, enfin quand je dis de travers, je devrais plutôt dire : quand elle a senti que tout partait trop droit, que tout était figé entre nous, elle a eu cette idée pour faire renaître la passion, susciter ma jalousie : payer un Henri qui lui écrirait et avec qui elle irait s'exhiber un peu partout en espérant qu'un corbeau, en l'occurrence toi, désolé, allait faire le reste... Pas mal hein ? Adorables manipulatrices...

Il remplit nos verres en riant.

— Quoi qu'il en soit, ça a marché. Les choses ont changé dès ce jour-là. La perspective de la perte éclaire d'un jour nouveau ce que l'on possède... Mais bon, on n'est pas là pour parler de ça, t'inquiète pas je vais pas noyer le poisson... (Son expression devient grave, il se racle la gorge.) Claire et moi travaillons pour Figurec depuis cinq ans maintenant. Ses parents comme les miens sont dans le circuit depuis toujours, ils ne nous ont mis au parfum que quand ils ont jugé notre situation assez stable... Très vite se sont imposés à nous les contrats de couple, d'ailleurs nous n'acceptions que ceux-là, nous refusions de travailler séparément. Nous avons écumé à peu près tous les domaines possibles où un couple peut intervenir, mais jusqu'à ce fameux contrat, nous ne faisions que des coups ponctuels, à la demande, la plupart du temps des cérémonies ou des soirées... Et puis, il y a environ un an, Figurec nous a contactés pour une figuration active très particulière, basée sur la durée, ce fameux contrat de couple d'amis, l'expression nous avait même fait sourire... Il ne faut pas en vouloir à tes parents, ils ne souhaitaient que ton bonheur. Ils s'inquiétaient de te voir seul, t'enfermer de plus en plus dans ta coquille... Tu te coupais progressivement du monde extérieur, ils désiraient seulement te proposer un minimum de vie sociale, autant pour toi que pour eux d'ailleurs... Claire et moi n'avons pas accepté sur-le-champ, nous avons tergiversé pendant quelques jours – et quelques nuits. Ce contrat impliquait une exclusivité, excuse-moi l'expression, un peu asphyxiante... Et puis nous avons signé, nous avons pris ça comme une expérience à tenter, nous pensions que ça nous ferait du bien de sortir de la routine des figurations ponctuelles qui se ressemblaient toutes autant les unes que les autres... Enfin, pardon de la précision, un contrat continu est financièrement plus intéressant et surtout moins précaire... Il a donc fallu organiser une rencontre, ça a été ce fameux vide-greniers... Dernièrement, lorsque Figurec nous a contactés pour une suspension d'activité, sans un mot d'explication, nous avons voulu en savoir plus et avons cherché à rencontrer tes parents – si Figurec l'apprenait nous serions bons pour le bagne. C'était facile, tu nous avais donné leur adresse… C'est ta mère, une femme charmante, qui nous a appris qu'elle estimait notre travail moins nécessaire étant donné que tu venais de trouver l'amour de ta vie, cette Tania dont elle ne tarissait plus d'éloges. Nous avons été sincèrement heureux pour toi. Heureux et peinés que cette histoire touche à sa fin, crois-moi… C'était à l'époque de l'affaire Henri, du coup nous avons décidé d'en profiter pour repartir, Claire et moi, sur de nouvelles bases… Voilà en gros pour l'explication la plus froide et la plus objective. Maintenant il faut que tu saches, et j'aimerais que Claire soit là, elle te dirait ça beaucoup mieux que moi, il faut que tu saches que cette amitié qui a débuté par une simple commande est devenue au fil du temps authentique et extrêmement profonde, je ne veux pas que tu en doutes une seule seconde, tu es et resteras notre ami, je t'ai très vite considéré comme un frère, tu…

Je ne le laisse pas terminer. Je me lève et pars, de mon entrée à ma sortie je n'aurai pas dit un mot.

## 88

Chaque fois que je franchis le seuil de la FNAC, une bouffée de chaleur m'envahit au point de presque m'envoyer au tapis et c'est péniblement que je dois lutter pour pénétrer dans cette masse de densité malsaine comme dans un nuage toxique. Les rayons sont bondés, débordent de toutes parts. On s'attend à ce que le Léviathan, pris d'un brusque écœurement, évacue tous ces Lilliputiens d'une minute à l'autre dans un rot tonitruant.

Je tourne un moment dans le rayon *partitions de musique classique* avant d'apercevoir un responsable. Je m'approche de lui, il est chauve sur le dessus mais, pas fataliste, tient quand même à la queue-de-cheval derrière.

— Bonjour, je cherche *Les 24 caprices* de Paganini pour triangle et flûte à bec.

— Si vous voulez bien me suivre.

La traversée du magasin est interminable, j'ai l'impression d'être dans un jeu vidéo où le but est de suivre une queue de cheval au galop en évitant des consommateurs rendus aveugles par un nouvel achat et qui menacent de vous renverser à chaque intersection de rayons.

Après quelques minutes durant lesquelles j'ai largement grillé mes trois vies, nous atteignons enfin la porte *Réservé au personnel*. Queue-de-cheval la pousse et je commence à respirer. À l'intérieur nous arpentons des centaines de mètres de couloirs gris et déserts, de ces couloirs de films de science-fiction à petits budgets. Nos pas résonnent sur le métal froid et nous marchons ainsi, de couloir en couloir, pendant un long moment, sans échanger le moindre mot. Il se contente de me guider, je suis le plus docilement du monde ce dos, ce dos à gilet rouge.

Au bout d'un couloir qui me semble plus sombre que les autres, nous arrivons à une porte. Il l'ouvre, me fait entrer et referme en restant dehors.

À l'intérieur, face à moi, le Grand Conseil. Une dizaine de costumes noirs surplombés de visages blafards sont assis derrière une espèce de table de banquet nue, des visages que j'ai déjà eu l'occasion de croiser mais tellement neutres que je n'en avais enregistré aucun – peut-être sont-ils choisis aussi pour ça. Celui situé au centre prend la parole.

— Asseyez-vous, contrôleur 3859, je suppose que vous savez pourquoi vous avez été convoqué…

Je m'exécute en bredouillant des sons inaudibles.

— Voyez-vous, 3859, si Figurec se targue d'être la réussite que nous savons, nous le devons à des gens comme vous, des gens qui, depuis des années, font un travail irréprochable. Non seulement vous faites partie de l'élite de Figurec, mais au sein même de cette élite vous êtes, 3859, un très bon élément. Voilà maintenant... (il jette un œil dans une sorte de dossier posé sur la table que je n'avais pas vu), voilà maintenant presque quatre ans que nous sommes pleinement satisfaits de vos prestations, vous avez un beau palmarès et je vous en félicite. Cela dit, vous vous doutez bien que si nous vous avons convoqué ce n'est pas pour jouer les laudateurs, vous savez que ce n'est pas le style de la maison... Je vais aller droit au but : nous avons un sérieux problème avec vous. Il y a environ six mois, un médecin nous avait prévenus de quelques signes suspects vous concernant. Sur le moment rien de bien grave, vous aviez un bon dossier, nous n'avions pas particulièrement relevé... Mais voilà que depuis... (il consulte à nouveau son papier) un peu plus de trois mois, à l'époque où l'on vous a mis sur l'affaire Bouvier, votre cas s'est aggravé de jour en jour... Sur le dossier Bouvier, rien à redire, une fois de plus vous avez accompli un travail remarquable. À votre contact ce vieil ivrogne s'est calmé et n'est plus le danger qu'il était... Le danger maintenant, il se trouve que c'est vous... Alors les médecins peuvent appeler ça comme ils veulent, eux disent schizophrénie, qu'importe, moi ce que je vois c'est que depuis deux mois, passez-moi l'expression, vous pétez les plombs.

— Écoutez, j'ai appris beaucoup de choses en peu de temps, notamment au sujet...

— De vos parents, je sais, il fallait bien que vous l'appreniez un jour. Et puis vos parents, vos grands-parents, quelle différence est-ce que ça fait ? Je sais aussi que vous avez appris pour vos deux amis... Quoi qu'il en soit, ce n'est pas une raison, 3859, pas une raison suffisante du moins pour mettre en péril Figurec. De plus, les études des médecins rapportent que votre cas de schizophrénie remonte à une période bien antérieure à ces révélations. C'est un cas selon eux assez fréquent chez les contrôleurs les plus doués, à trop vous immiscer dans la peau de monsieur Tout-le-monde vous avez complètement perdu la tête... Et je ne vous parle même pas de ces petits caprices à propos de cette prétendue... (coup d'œil dans le dossier) Tania, non non, je vous parle de vrais scandales publics excessivement périlleux pour l'avenir de Figurec... Vous êtes allé trop loin, c'est tout. Quelque chose à dire pour votre défense ?

Je lui exhibe un majeur admirablement tendu.

## 89

Vent glacial, chape de nuages noirs au-dessus de nos têtes, lourde, épaisse, un enfant d'environ dix ans assis en tailleur dans l'allée, en retrait du groupe, joue aux billes avec des boules de cyprès, il essaie de les mettre dans un trou, ne semble pas vraiment réaliser qu'à quelques mètres de lui quatre types font de même avec son pépé, ces quatre types qui laissent glisser la corde entre leurs doigts, qu'est-ce qu'ils vont raconter ce soir à leurs femmes ? Assistance silencieuse, silence effrayant, à part le feulement du vent dans les branches, bande-son de l'Apocalypse, du gris, des gris, tous les gris, toute la gamme, ce grain, grossier, rugueux, qui râpe jusqu'au regard, le chapeau noir d'une vieille dame s'envole, un homme assez grand à cinq mètres derrière le rattrape en tendant le bras, le reste de son corps ne bouge pas d'un millimètre, son expression figée, masque de porcelaine, théâtre de l'écono-mie des gestes, une autre vieille dame, à gauche du caveau, dort paisiblement, un chat persan sur les genoux, derrière elle, un type à la peau terne affublé de lunettes noires prend des notes dans un carnet, les nuages progressent à une vitesse phénoménale, il est seize heures, et nous n'y voyons pratiquement plus rien.

Unique tache de couleur, les vêtements du jeune garçon, d'un rouge déplacé, accidentel, minuscule goutte tombée sur la toile dans une seconde d'inattention du peintre.

Je m'éloigne discrètement du groupe et le rejoins. Le vent a redoublé mais l'enfant ne semble pas perturbé outre mesure. Ses cheveux ne subissent aucun mouvement alors que mon cuir chevelu ne devrait pas tarder à se décoller pour s'envoler comme le chapeau de la vieille dame. Les gravillons qu'il manipule ne produisent pas le moindre son. Il aligne ses petits monticules en autant d'obstacles que la boule de cyprès doit franchir avant d'accéder au trou. Je m'accroupis jusqu'à ce que nos visages soient au même niveau. L'enfant ne daigne pas lever les yeux, il continue ses installations avec une application scolaire.

— Tu joues à quoi ?

— Et toi, tu joues à quoi ? Je croyais que tu saurais profiter du privilège qui t'était accordé... Tu te rends compte de la chance que tu avais d'appartenir à cette immense confrérie ? Et toi qu'est-ce que tu fais ? Tu gâches tout, tu sabotes ton jouet, comme un vulgaire gosse de mon âge. Et tout ça pour quoi ? Pour une amourette sans lendemain...

— Tania n'était pas une amourette.

— Non, tu as raison, Tania n'était pas une amourette : Tania était moins que ça. Tania n'était rien. Elle n'aura été qu'une abstraction qui t'a fait perdre la tête, qui t'a fait mettre en péril une énorme machine aux rouages bien huilés... Tu ne pourras pas dire que tu n'as pas été prévenu... Tu vois ces boules de cyprès ? Est-ce que tu sais ce qu'elles ont de commun avec les hommes ? Si tu en prends une pour la remplacer par une autre, personne ne verra la différence.

— Tania n'était pas une amourette.

Une femme d'une quarantaine d'années que je n'ai pas vue arriver surgit devant moi, elle est vêtue d'une longue gabardine noire. Affichant un air vaguement accusateur, elle me détaille sans un mot et prend l'enfant par la main.

— Viens Baptiste, je n'aime pas trop que tu t'éloignes du groupe.

— Je jouais avec le monsieur.

Sa voix est alors d'une innocence fluette comme peut l'être celle d'un enfant de dix ans. La mère et son enfant s'éloignent, je sens une goutte sur ma main.

La pluie se met subitement à tomber par rafales et la température semble chuter de dix degrés. Je me lève, m'engage dans l'allée bordée d'arbres et chacun de mes pas fait crisser le gravier mouillé. Tout au bout de ce couloir, le portail se rapproche, inexorablement. La pluie redouble et plaque sur mon front une mèche mince et ridicule que j'essaie de frictionner pour lui donner du volume. Je souris en réalisant cet anachronique sursaut de coquetterie. Mon sourire se transforme progressivement en quelque chose de plus sonore et incontrôlable. Quand je franchis le portail, je ris aux éclats. J'ai à peine le temps de voir la voiture qui me fonce dessus, à peine le temps d'entendre...

## 90

... *Chtonk ! La bouteille entre mes cuisses, les phalanges encore écarlates de ma lutte contre le bouchon réfractaire, je fais le serment d'acheter dès le lendemain un tire-bouchon digne de ce nom, un de ceux dont on n'a qu'à appuyer sur les bras pour que le bouchon se soulève, impuissant devant le progrès. L'odeur du poulet au curry commence à investir le moindre centimètre cube de l'appartement et je me réjouis de m'être délesté de la cuisine pour ce soir. Je sors deux verres du placard, les pose sur la table basse et les remplis dans un glouglou jouissif – jouissance subtile des préliminaires.*

— *L'apéritif est servi !*

— *Installe-toi, j'arrive.*

*J'obéis docilement : je m'affale sur le canapé, envoie valser mes chaussures à l'autre bout de la pièce et attrape d'une main la télécommande, de l'autre mon verre. Je zappe au hasard tout en sirotant avant de réaliser que j'ai avalé la moitié de mon verre sans l'avoir attendue. Je complète discrètement ce qui manque. Dans le flot des images, je tombe*

261

sur une émission de débat où les cinq intervenants se ressemblent à tel point que je me demande si ce n'est pas un trucage numérique pour pallier le retard des vrais invités. Elle vient s'asseoir à côté de moi, prend son verre et en lampe elle aussi la moitié d'une seule gorgée.

— Tu pourrais m'attendre !

— Le poulet est bientôt prêt. Tu regardes quoi ?

— Je supporte pas ces débats, ces kilomètres de discussions stéréotypées...

— Tu devrais me dire ce que tu supportes, ça irait plus vite...

— Tiens, le truc qui m'énerve par-dessus tout, c'est les tics de langage, les mots à la mode... Par exemple, y'a quelque temps c'était le sempiternel tout à fait, ben maintenant ils ont trouvé autre chose : le effectivement... On incruste des effectivement tous les dix mots en guise de ponctuation, ça veut absolument plus rien dire.

— Ah bon ? Tu crois ? J'ai jamais remarqué...

— On va faire un jeu, chaque fois qu'un des cinq types dit effectivement, on avale un verre de vin, tiens-toi prête, ça va aller très vite...

# DU MÊME AUTEUR

*Romans*

*Aux Éditions Gallimard*

FIGUREC, « Blanche », 2006 (Folio n° 6607).
LE DISCOURS, « Sygne », 2018 (Folio n° 6750).

*Bandes dessinées*

LE STEAK HACHÉ DE DAMOCLÈS, *La Cafetière*, 2005.
TALIJANSKA, *La Cafetière*, 2006.
DROIT DANS LE MÛR, *La Cafetière*, 2007.
LA BREDOUTE, *6 pieds sous terre*, 2007, réédition, 2018.
FIGUREC, avec Christian de Metter, *Casterman*, 2007 (adaptation du roman).
LIKE A STEAK MACHINE, *La Cafetière*, 2009.
LA CLÔTURE, *6 pieds sous terre*, 2009.
JEAN-LOUIS (ET SON ENCYCLOPÉDIE), *Drugstore*, 2009.
STEVE LUMOUR. L'ART DE LA WINNE, *Le Lombard*, 2011.
−20 % SUR L'ESPRIT DE LA FORÊT, *6 pieds sous terre*, 2011.
L'INFINIMENT MOYEN, *Même pas mal*, 2011.
AMOUR, PASSION & CX DIESEL, avec James et Bengrrr, *Fluide Glacial - Audie* (3 volumes, 2011, 2012, 2014, et intégrale, 2019).
L'ALBUM DE L'ANNÉE, *La Cafetière*, 2011.
ON EST PAS LÀ POUR RÉUSSIR, *La Cafetière*, 2012.
Z COMME DON DIEGO, avec Fabrice Erre et Sandrine Greff, *Dargaud* (2 volumes, 2012).

JOURS DE GLOIRE, *AlterComics*, 2013.

CARNET DU PÉROU. SUR LA ROUTE DE CUZCO, *6 pieds sous terre*, 2013.

MARS !, avec Fabrice Erre, *Audie*, 2014.

PARAPLÉJACK, *La Cafetière*, 2014.

LES IMPÉTUEUSES TRIBULATIONS D'ACHILLE TALON, avec Serge Carrère et Mel, *Dargaud* (3 volumes, 2014, 2015, 2016).

TALK SHOW, *Vide Cocagne*, 2015.

ZAÏ ZAÏ ZAÏ ZAÏ, *6 pieds sous terre*, 2015.

STEAK IT EASY, *La Cafetière*, 2016.

PAUSE, *La Cafetière*, 2017.

LES NOUVELLES AVENTURES DE GAI-LURON, Vol. 1: GAI-LURON SENT QUE TOUT LUI ÉCHAPPE, *Fluide glacial*, 2017.

ET SI L'AMOUR C'ÉTAIT AIMER ?, *6 pieds sous terre*, 2017.

JEAN-LOUIS, *Glénat*, 2018.

MOINS QU'HIER (PLUS QUE DEMAIN), *Glénat*, 2018.

EN ATTENDANT, avec Gilles Rochier, *6 pieds sous terre*, 2018.

ZÉROPÉDIA, Vol. 1: TOUT SUR TOUT (ET RÉCIPROQUEMENT), *Dargaud*, 2018.

CONVERSATIONS, avec Jorge Bernstein, *Éditions Rouquemoute*, 2018.

MARS ! UN PETIT PAS POUR L'HOMME, UNE BELLE ENTORSE POUR L'HUMANITÉ, *Fluide glacial*, 2018.

WALTER APPLEDUCK, Vol. 1: COW-BOY STAGIAIRE, *Dupuis*, 2019.

OPEN BAR, Vol. 1, *Delcourt*, 2019.

FORMICA : UNE TRAGÉDIE EN TROIS ACTES,
*6 pieds sous terre*, 2019.

HEY JUNE, *Delcourt*, 2020.

# COLLECTION FOLIO

*Dernières parutions*

*Composition : Nord Compo*
*Impression Novoprint*
*à Barcelone, le 16 août 2021*
*Dépôt légal : août 2021*
*1er dépôt légal dans la collection : février 2019*

ISBN 978-2-07-284442-3 / Imprimé en Espagne.

**403974**